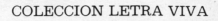

COLECCION LETRA VIVA

FERNANDO ALEGRIA
RAFAEL GUTIERREZ GIRARDOT
NOE JITRIK
ANGEL RAMA
MARTA TRABA

LITERATURA
Y PRAXIS EN
AMERICA LATINA

 MONTE AVILA EDITORES C. A.

© MONTE AVILA EDITORES, C. A., 1974
Caracas / Venezuela

Portada / Víctor Viano
Impreso en Venezuela por Litografía Melvin

En el mes *de mayo de 1973, el "Seminario de Roma-nística" de la Universidad de Bonn reunió a un conjunto de investigadores y escritores latinoamericanos para que mantuvieran un coloquio sobre el tema "Literatura y Praxis en América Latina", cuya finalidad fundamental era la de esclarecer los mecanismos de funcionamiento de la literatura en el seno de la sociedad latinoamericana, su producción y recepción dentro de los distintos grupos sociales así como la dinámica transformadora, que en los últimos años marcaba una notoria intensificación.*

Los ensayos que integran el presente volumen fueron presentados al mencionado coloquio y sometidos al debate de los participantes, profesores, escritores y estudiantes de América Latina y de Alemania, que intentaron una tarea de mutuo examen de la situación de la cultura latinoamericana en el campo literario y social en la actualidad.

Aparte de los ensayistas aquí reunidos, participaron del coloquio el crítico cubano José Antonio Portuondo, el profesor peruano Alberto Escobar, el escritor argentino David Viñas, el filósofo peruano Li Carrillo y el narrador colombiano Clemente Airó.

Los textos se reproducen en sus versiones originales.

PRODUCCION LITERARIA Y
PRODUCCION SOCIAL

I

VAMOS A ENTRAR en el campo de lo que se conoce como literatura, haciendo un deslinde inicial: se trata, ante todo, de un campo marcado por una producción y no —como se decía y aún se dice— de un "recinto" de objetos "creados" o de la "creación" por excelencia. Deslinde materialista, por lo tanto, que en su mera formulación ataca una ideología que acompaña a la literatura y que tiende, justamente, a ocultar su carácter esencialmente productivo.

Pero lo que ahora llamamos "producción literaria" tiene a su vez dos campos: el de la producción de "textos" y el de la producción de "conocimiento" sobre dichos textos.

En cuanto al primero, se presenta una inicial cuestión teórica importante: estudiados los mecanismos de la producción desde este ángulo, ¿es posible advertirlos en toda la masa de la producción literaria existente o sólo pueden ser registrados a partir del momento en que se los admite como actuantes? Cuestión que asedia todo enfoque ideológico y cuyas respuestas pueden indicar o bien una voluntad de integración teórica

—es decir que las fuerzas productivas tuvieron un desarrollo consecuente con la producción artística renacentista, aunque en el momento renacentista uno y otra formularon otra explicación— o bien una desintegración teórica —decir por ejemplo que las obras medievales o del siglo XIX no pueden examinarse con criterios del siglo XX y que hay que verlas en su propio esquema, en su propia racionalidad— que pondría de manifiesto, desde esta perspectiva, una voluntad ideológica de ocultar el proceso productivo.

En cuanto al segundo campo daría lugar a la constitución de una disciplina que podemos llamar "trabajo crítico" que debería pensarse a sí misma como productora en tanto tiene un objeto respecto del cual debe emitir no ya un mero juicio, sino un conocimiento estructurado como tal. Esta disciplina debería, en cada acto concreto, dar cuenta de su objeto —uno o muchos textos— y de sí misma como perteneciente, ahora en forma consciente, a un elenco de actividades que engendran, desarrollan o reprimen ideología y, consecuentemente, los efectos ideológicos que sus objetos pueden ejercitar.

Pero el problema que ahora nos ocupa, en uno u otro campo —y respecto del cual las dos aclaraciones que hemos hecho cumplen su papel— es el de la relación entre la producción literaria y la producción social.

Desde cierto ángulo, el de un sociologismo vulgar, la producción de "textos" *refleja* la producción social y la crítica pone de relieve esa operación. Dicho de otro modo: si el texto "refleja" lo que es la sociedad, la crítica "traduce" ese reflejo mediante un lenguaje que hace inteligible la operación. Breve circuito del que queda excluido que el acto mismo de "reflejar" y de "traducir" (o explicar) constituyen actos de producción afectados o dirigidos por leyes productivas que también afectan o dirigen la producción en general.

El sociologismo vulgar no ve, pues, detrás de las imágenes establecidas por el texto el trabajo que hace posible el acto literario; quizás lo vea, en cuanto establece un juicio de valor que tiene por eje la eficacia —siempre quimérica— del reflejo, pero en ese caso lo oculta en la medida en que predomina el reconocimiento de lo reflejado y el así llamado "valor" se le subordina. El trabajo como tal desaparece en el referente —lo reflejado— que aparece y en el valor —exaltado— que acompaña como la consagración del acto crítico su propia operación de ocultamiento.

Se trata, entonces, de fundar una teoría que liberándose del "reflejo" pueda discernir las relaciones que se establecen entre modos de producción de una sociedad y modo de producción de un texto; ante todo, digamos que no puede dejar de existir esta relación y, más aún, no puede pensarse que la producción de un texto queda fuera del circuito productivo global. Lo que no quiere decir, por un lado, que las determinaciones sean necesariamente directas y, por el otro, que la especificidad con que se manifiestan en la literatura los modos de producción generales la tornan aislada e ininteligible.

II

Segundo deslinde principal: la producción literaria tiene una especificidad que hay que definir en sus límites para poder establecer una relación correcta con la producción en general. Si tomamos el campo del "trabajo crítico", será evidente que, en tanto aspira a producir un conocimiento, su modo de producción tendrá en cuenta los de otras disciplinas que procuran producir conocimiento. Esta vinculación, que no implica dependencia, configura un primer nivel de asociación ideológica en la medida en que la llamada crítica, como comentario o seguimiento, pretende obviarla u ocultarla al afirmar, en su metodología, desvinculada o vinculada exteriormente por préstamos, la autonomía absoluta de su objeto y de su campo.

Un segundo nivel ideológico podrá en cambio tomar forma en cuanto el "trabajo crítico" haga explícitos los supuestos que, provenientes de otras disciplinas, configuran su metodología así como el carácter del objeto de que trata y la función de su trabajo: una cosa, entonces, será creer que el "arte" es resultado de un descenso del espíritu sobre un cuerpo y otro que el "texto" es resultado de un "trabajo humano"; una cosa será creer que la crítica debe glosar un texto y otra producir un conocimiento generalizable, partícipe de un trabajo global de conocimiento de lo real; una cosa será pensar que la "metodología" resulta de una articulación superpuesta al texto y otra que brota de una relación necesaria entre su objeto y los fines que una teoría se propone establecer y lograr. De todo esto podríamos concluir que la "especificidad" de la producción crítica estaría dada por una relación de trabajo —fundada teóricamente— entre texto (como objeto), metodología (como operatoria) y finalidad (como conocimiento y transformación del mundo).

Dos acotaciones a esta delimitación:

1 — Se plantea el problema de los "modelos" como las normas que la cultura ofrece para aplicar en el trabajo crítico; la adopción de "modelos" supone, por una parte, para el trabajo crítico, un trabajo preliminar de reflexión genética lo que implica, a la vez, una actualización ideológica explícita; si para hacer mi trabajo crítico acepto y busco modelos en la lingüística o en la psicología estoy solidarizándome con el proceso que llevó a esas disciplinas a la posición de ofrecer modelos, estoy aceptando la relación que tales disciplinas establecieron por su lado con la producción social en general; correlativamente, y por otra parte, si tal adopción no es crítica —esto es, si la solidaridad viene impuesta desde afuera (moda o facilidad)— los modelos buscados servirán para afirmar o bien una dependencia ideológica, o bien para volver a ocultar dos niveles de relación ideológica, el de las disciplinas proveedoras de modelos y el del trabajo crítico;

2 — Sólo por esta red de relaciones ideológicamente transformadas, el trabajo crítico, esto es el trabajo tendiente a producir un conocimiento respecto de un sector determinado del trabajo

humano, podrá recuperar una dimensión histórica y social y podrá llegar a tener una función en la medida en que se hará productivo, no más el acompañante privilegiado de una "capacidad privilegiada" situada fuera del proceso de producción económica.

Y una última precisión: desde luego que todas las articulaciones críticas, tanto las que tienden a ocultar el "trabajo" como las que lo sacan al exterior de un recinto sagrado, realizan un trabajo. La diferencia entre unas y otras reside en el análisis global de la producción humana que hacen, el cual lleva a unos a ocultarla y a otros a ponerla en evidencia. A la vez, dicho análisis es político en un caso, el trabajo en general y el trabajo crítico en particular siguen, al conservar su aislamiento, conservándose como lo invariable de relaciones estructurales inmodificables; en el otro, se tratará de quebrar esa invariabilidad —que es política— para rescatar el trabajo humano de su deshumanización.

III

Volvamos a lo que llamábamos "campo de la producción de textos". Ante todo, digamos que lo que llamamos "producción textual" no es más que la "escritura", a la que podemos definir como el conjunto de operaciones que transforman lo dado de la palabra —como reglas, connotaciones e imágenes verbales— en un nuevo acontecimiento caracterizado por la aparición de una nueva significación. Sobre esto último volveremos en particular.

Como conjunto de operaciones de transformación, la "escritura" es en consecuencia un trabajo susceptible de ser considerado como todo trabajo humano, tanto en cuanto a las leyes que justifican su necesidad, como a las que desarrollan o fijan su función en la totalidad social. Pero hay que hacer por lo menos tres acotaciones particularizantes:

1 — La "escritura" no comienza en el primer instante de su iniciación sino antes, en el conjunto de determinaciones que la hacen posible, determinaciones sociales (que afirman con diferente claridad respecto de la producción social en general ya sea la necesidad, ya la función: "escribir" tiene un grado de necesidad en la sociedad colonial latinoamericana y otro diferente en la sociedad independentista) y determinaciones psicológicas en un doble nivel: por un lado cierta persona "siente" que puede y debe escribir y, por el otro, lo hace de acuerdo con un instrumental ideológico que no por internalizado (modas, selectividad de temas o de imágenes, etc.) es menos resultado de una previa existencia cultural.

2 — Una vez puesta en movimiento, la escritura opera según ciertas leyes que le permiten su desarrollo; son en cierto modo "técnicas" que tienen una articulación propia y, aparentemente, cerrada pero que en verdad guardan estrecha relación con las "técnicas" de la producción social en general. No se trata, como lo veremos en seguida, de la mera "influencia" de la época sino de un fenómeno más complejo que sólo puede comprenderse —con todos los recaudos que eso exige— por analogía.

3 — El trabajo realizado de la escritura no se agota en el objeto transformado: continúa, se reitera y se modifica en la ulterioridad de su función que consiste, como todo trabajo social, en significar. Pero, contrariamente a lo que sucede con el objeto real producido, cuya significación queda vaciada en el acto del consumo y, en el mejor de los casos, deja abierta la expectativa de una nueva operación de vaciamiento de significación, el objeto de la escritura, como objeto de conocimiento, mantiene llena su significación y engendra respuestas que tienen en cuenta la ideología de la función que debe cumplir: así, una ideología de la escritura que la entiende como lo excepcional, realiza una lectura sagrada, en la que desaparece naturalmente el trabajo; una ideología de la escritura que la entiende como productora de objetos de consumo, reduce la capacidad vibratoria de la significación a la de objeto real consumido; una ideología de la escritura que la entiende como subsidiaria del resto del trabajo humano, sólo verá en la significación producida un significado y, por lo tanto, un triunfo de lo ya dado y no de lo nuevo (*cf.* respecto del sociologismo vulgar); finalmente, una ideología que recupera en la escritura el trabajo que se ha realizado y que la significación sigue realizando, podrá percibir de qué manera la significación se integra al trabajo que, en general, tiene como marco de referencia lo dado y su sentido. Es en su producción que esa significación juega de doble manera: intenta ya sea adecuarse a lo dado, ya sea modificarlo, lo que da lugar, respectivamente, a una

literatura (una escritura) conformista y a una literatura (una escritura) crítica.

IV

Dejamos de lado la primera acotación para ver ahora los problemas que nos propone la segunda. Ante todo debemos señalar —o reiterar— que el puente que une el trabajo específico textual y el trabajo social está constituido por la ideología que cubre y separa los dos campos; se trata de ver, justamente, qué de cierta ideología del trabajo social pasa al trabajo textual y, al mismo tiempo, cómo toma forma una especificidad ideológica que parece inexpugnable, la del texto; de este modo y como ejemplo proponemos la siguiente situación: la burguesía industrialista posterior a la guerra de 1870 segrega una ideología de su producción (se trata, en general, de la racionalidad interna de la fábrica y de la racionalidad externa de la comercialización); ahora bien, ¿qué relación tiene con ella la que da lugar a dos tendencias literarias opuestas, el naturalismo y el simbolismo?, ¿en qué medida esa ideología se traslada o se transforma engendrando, a su vez, un resultado doble, a saber su conservación o su disgregación? Resumiendo, podemos decir que toda producción textual está regida por una ideología que, a su vez, es tributaria de una teoría más amplia que define cierta manera de considerar la producción social; dicha ideología puede ser implícita —u ocultada— o explícita —asumida o discutida o destruida— y *desde* ella se escribe o, mejor dicho, en ella tiene lugar la elección de las "técnicas" aptas para que el trabajo se lleve a cabo.

Toma forma aquí otro matiz: las "técnicas" se parecen más a los procedimientos de que se vale el trabajo social. Como primera indicación, es evidente que una manera de escribir tuvo lugar antes de la invención de la imprenta, en plena era de la producción artesanal —desde el papel que jugaban las iluminaciones de la inicial hasta el material empleado, el pergamino, todo lo cual proponía relaciones o espaciamiento que pasaban por la mano y el color y condicionaban por lo tanto el espacio mental— y otra diferente después: ¿no es característica de esta etapa el desarrollo de la novela? Del mismo modo, una producción de libros en serie, con una estructura de producción industrial detrás —que necesita imponerse a los lectores, modifica la manera de escribir, lo que podemos denominar "imaginación" cambia de ritmo y acepta o rechaza el encuadre, se acerca más o se aleja de lo que el trabajo social quiere generalizar porque la linotipo electrónica no difiere de la embolsadora electrónica más que en el producto, no en el sentido. Del mismo modo, el desarrollo del diario —correlativo a la aparición de un poder burgués consolidado en torno a la máquina— favorece el auge del folletín que decae cuando aumenta la capacidad informativa de los diarios por expansión de sus medios. En América Latina hay, en relación con este enfoque, diversidad de matices que no indican otra cosa que condiciones productivas muy diferentes para cada país; la misma vinculación podría hacerse entre producción textual urbana —de la ciudad— y rural —del campo— (no me refiero al "tema"); a la luz de estos conceptos, podría estudiarse la inversión de términos que se ha producido en lo que va del siglo; la escritura de la ciudad termina por imponerse desapareciendo prácticamente toda producción textual vinculada con un modo de producción campesino en derrota.

Ahora bien, no necesariamente estas relaciones son sincrónicas y determinantes en una sola dirección; también la escritura de un momento histórico determinado puede plantearse (y seguramente es lo que se plantea toda literatura de ruptura) un camino de subversión frente a lo que exige la ideología de la producción social proclamada por las clases dominantes; es, por ejemplo, la negativa del vanguardismo a las exigencias de racionalidad y claridad formuladas por la burguesía para el trabajo que necesita hacer y que aparecen como la ideología en curso; probablemente, a la luz de este mecanismo de imposición y de rechazo, pueden considerarse, si no entenderse, ciertos intentos como los de Macedonio Fernández o Felisberto Hernández o, inclusive, José María Arguedas: escrituras que al no aceptar la ideología del trabajo textual impuesta por la ideología del trabajo de las clases dominantes o bien aparentemente retrogradan en los medios técnicos (la hispanofilia barroquizante de Lezama Lima) o bien avanzan hasta anticiparse en los modos de escritura (la "novela futura" de Macedonio Fernández).

Existe también un tercer nivel en el que estas relaciones pueden establecerse: menos exterior, se refiere a la articulación de los elementos internos del texto, al resultado de la aplicación de la gramática textual en cada uno de los planos que, en conjunto, construyen y constituyen el texto. Los elementos vehiculizan la relación entre las imágenes previas a la escritura — el material de referencia — transformables por la escritura y la transformación que efectivamente se realiza. Tomemos como ejemplo el gesto narrativo, como estructura cultural preexistente a cualquier texto que se produzca, y en él tratemos de definir esos niveles por los que la escritura, como transformación, se lleva a cabo; podemos hablar de este modo de "punto de vista desde donde se narra" (o procedimiento narrativo o función de la narración) o, para manejar una categoría más perturbadora, de "personaje". En este sector particular, los mecanismos de escritura entendidos como articulación de la figura del personaje pueden ser filiados en cada momento — o sea en cada relato o en cada grupo de relatos según épocas o tendencias — de acuerdo a actitudes predominantes en ciertas clases o grupos sociales: el "héroe" renacentista está construido con rasgos que nutren la mentalidad productiva de las protoburguesías, a saber racionalismo y capacidad individual de invención, audacia y tendencia a la universalidad; el pícaro, como antihéroe, encarna la vertiente crítica de esa misma mentalidad, el examen que de esas mismas virtudes puede hacer una clase que con ellas no logra desarrollarse. Pero no se trata de que el personaje "represente" la clase: de algún modo lo hace pero lo que nos importa aquí es que es configurado de acuerdo con ciertas técnicas que, perteneciendo de una u otra forma a la clase, le permiten en un momento dado realizar su trabajo social. Desde luego que entre técnica productiva de las clases dominantes y técnicas de escritura de un personaje como figura, se tiende la ideología como un puente que liga las dos prácticas y las ilumina recíprocamente en la medida en que se logra advertir su funcionamiento. Pero así como las técnicas productivas de las clases dominantes tienden al perfeccionamiento de su dominio sobre el trabajo en general y con estos alcances se formula su ideología, las "técnicas" productivas en literatura no ratifican necesariamente esa voluntad; es cierto que pueden hacerlo y en la mayor parte de los casos así sucede, pero también logran antagonizar los principios mismos para intentar adecuarlos a otros fines: si el positivismo es la filosofía de la burguesía colonialista y se basa en diversos artefactos racionales — experimentación, acumulación, análisis, generalización, etc. — el naturalismo, que es la literatura que le corresponde, constituyéndose sobre los mismos artefactos, no persigue en ciertas obras — por lo menos en una intención consciente — los mismos objetivos sino los opuestos: faltaría determinar si los logra, es decir si logra cambiarle el signo a un sistema que viene cargado con la ideología de la clase en el poder. No obstante, una actitud antidogmática no debería

clausurar los puentes y debería permitirnos señalar que en el plano de la escritura la ideología
de la técnica o que la acompaña no indica necesariamente un apego a su fuente, sino que puede
producir su propio distanciamiento en la medida
en que, sea como fuere, su producción es de
objetos de conocimiento que, por lo tanto, pueden o no obedecer a normas similares que tien-
dan a producir objetos que cumplen funciones
de objeto real.

En general, una literatura crítica acentúa la
distancia respecto a la ideología que acompaña
a las técnicas productivas propias de las clases
dominantes y, por lo tanto, se retira de la noción
de consumo que las caracteriza; por el otro lado,
si no toma esa distancia tiende a producir objetos
destinados a ser integrados como lo son los objetos reales emergentes de esas normas de producción. El caso del *Martín Fierro,* como personaje
dramático, es ejemplar: mientras psicológicamen-
te es pintado a partir de imágenes y en situaciones concretas, puede pensarse que se lo está es-
tructurando como al margen de una ideología
que caracteriza el sistema que se está imponiendo
en la realidad; cuando, al contrario, es puramente evocador, razonador y moralista, no cabe duda
de que se procura hacerlo admisible para cierto
sistema productivo que parece representar triun-
falmente la realidad: el "Prólogo" a la *Vuelta*
muestra con dramatismo esta transformación —
mejor dicho modificación — de la ideología a
través de la técnica de construcción del personaje.

V

En cuanto a la tercera acotación, la relativa a las significaciones, conviene para desarrollarla establecer con claridad su campo propio. Diferenciamos significación de significado sobre la base de las nociones saussureanas de signo; para de Saussure, "signo" es la reunión arbitraria de un "significante" (materia sonora) y un "significado" (concepto). Desde un enfoque materialista esta división no sólo es idealista sino que con la idea de la arbitrariedad queda eliminada — o congelada — la perspectiva humana de la producción: el signo, diríamos por el contrario, es resultado de un trabajo en el significante y, en tanto tal, se caracteriza por significar, esto es producir una significación. En consecuencia el significado, como concepto, estaría platónicamente dado como una existencia que necesita un vehículo adecuado para manifestarse, mientras que la significación sería lo nuevo que en el trabajo de significar se ha logrado histórica y genéticamente en el signo. Es evidente que el uso del lenguaje, el uso productivo en la formulación poética pero también en la formulación filosófica y política (si pretende cambiar la vida) recupera esta historia y al volver a trabajar la significación de los signos los renueva en su poder, los descubre en su origen transformativo.

Este esquema es fecundo para el trabajo literario porque la ideología de la significación tiende el puente entre la idea de escritura y la de lectura, consideradas ambas como trabajo productivo ligado al trabajo social en su conjunto. Pueden presentarse en consecuencia varias unidades entre ambos conceptos:

1 — escritura que se realiza en el sentido del trabajo social poseído o ideologizado por las clases dominantes y lectura en la misma dirección o bien lectura que pone en evidencia tal vinculación denunciándola;

2 — escritura que se realiza a partir del trabajo social ideologizado por las clases dominantes pero modificándolo en su propio nivel ideológico y lectura que siguiendo la norma impuesta por las clases dominantes tapa la modificación o bien lectura que la destaca como un factor productivo;

3 — escritura que se realiza al margen de las pautas indicadas por la ideología del trabajo social de las clases dominantes rescatando el sentido del trabajo humano controlado por las clases dominantes o bien yendo más atrás, retrocediendo en la relación entre trabajo textual y trabajo social, y lectura que se hace cargo de la marginalidad en su productividad o en su regresión o lectura que la rechaza justamente, porque necesita afirmar en su desarrollo la ideología de las clases dominantes;

4 — finalmente, podría hablarse de una escritura que se realiza poniendo críticamente en evidencia los resortes ideológicos de

la producción impuesta por las clases dominantes y proponiendo normas de realización que se vinculan en su sentido con un proyecto ideológico-crítico inherente al punto de vista de las clases dominadas y de una lectura que acepta esta perspectiva y reelabora la propuesta en su propio nivel o de una lectura que sólo entiende los canales de la producción del significante como lo quiere la ideología global en curso.

Este esbozo de posibilidades indica un campo de trabajo en el desarrollo de todas estas figuras resultantes pero también la complejidad del problema, sobre todo si el cuadro se presenta como apriorístico y en él se trata de encajar tal o cual texto para, mediante una maniobra, volver a juzgarlo de una manera clásica. El esquema puede ser válido a condición de que sea vivido en sus alcances teóricos, internalizado como una perspectiva tanto de salir de una concepción de una escritura como acto puramente inmanente, autónomo e iluminado, como de una lectura puramente pasiva, no productora.

Volviendo a la significación, se ve el papel unitivo y productor que juega. Para concluir con un aspecto de esta cuestión, se podría decir que en literatura la noción de "significado" remite a lo preexistente y por lo tanto "re-presenta", mientras que la significación "presenta" o, del mismo modo, el significado "reproduce" mientras que la significación "produce". Estas precisiones tan simples tienen consecuencias muy grandes que nos devuelven a las primeras consideraciones de este trabajo y las fundamentan:

1 — una escritura que se propone *reproducir* afirma lo *reproducido* antes que la *reproducción,* lo que implica, sea como fuere, la negación de un campo específico en el que hay que reconocer el funcionamiento de leyes productivas globales;

2 — por la misma razón, quedan confirmadas sin modificación alguna, las leyes de la producción social que son las de las clases dominantes;

3 — como necesaria consecuencia, se crean las condiciones para una lectura según los códigos preparados por las clases dominantes, o sea que se impide una lectura que favorezca la transformación, sin la cual ni la lectura es posible ni el trabajo textual tiene operatividad. La literatura es reducida a objeto real de consumo;

4 — la ideología del significado, o sea de lo reproducido, concentra en lo temático — como puente simplista tendido a lo reproducible — toda su energía de escritura, lo que limita el trabajo textual en sus distintos niveles y, sobre todo, pone un límite a lo que llamamos la "tematización". (Este concepto es productivo porque indica el pasaje activo de un nivel al otro de la textualidad, el campo en el que *todos* los niveles se reúnen y mani-

fiestan su presencia. Si *tema* puede ser
— como importante o no — un cierto
problema social importante o no, *tematización* es la figura que adopta en el
texto el cruce concreto entre realidad
histórica compleja y niveles específicos
por los que transformadoramente esa realidad histórica compleja pasa — el tópico
de la "casa" en *Cien Años de Soledad*
por ejemplo, o el "canto" en el *Martín
Fierro*).

VI

La significación es, pues, lo que la escritura
produce y siempre ha producido, aunque, al sub-
ordinarse a la ideología global en curso, haya de
alguna manera evitado el riesgo de tomar conciencia de su propia capacidad. En ese evitamien-
to, la significación neutraliza su poder; en cambio, cuando lo asume, lo desarrolla: genera una
lectura activa, transformante y transformadora.
Es sobre el esquema de una literatura como transformación que puede estudiarse la relación de
esta producción con la producción social. Pero
como no se trata de describir solamente, puede
decirse que sólo aceptando que la literatura es
un trabajo transformativo, el texto y lo que se
haga con él, a partir del poder de la significación,
pueden actuar sobre el trabajo social en curso y
luchar contra su ideología. Destacar esta capacidad es un acto político: supone sacar a la producción textual de la insignificancia en la que el

poder quiere hacerla permanecer y supone, lo que es mucho más importante, romper los códigos de lectura al designarla como trabajo y proponerle, por lo tanto, caminos concretos de reivindicación.

Noé Jitrik

PEDRO HENRIQUEZ UREÑA Y LA HISTORIOGRAFIA LITERARIA LATINOAMERICANA

CON DISCRECION aseguró Pedro Henríquez Ureña en el prólogo a la versión española de *Las corrientes literarias en la América hispana* (1945), que su propósito no había sido el de hacer una historia completa de la literatura hispanoamericana, sino el de seguir las corrientes relacionadas con la búsqueda de nuestra expresión. Obligado por el público al que se dirigía a escoger nombres de poetas y escritores como ejemplos de esas corrientes, Henríquez Ureña no presentó, efectivamente, una historia completa, sino simplemente una historia de la literatura hispanoamericana, la primera y hasta hoy la única en la historiografía literaria hispanoamericana y, aparte la obra monumental de Menéndez y Pelayo, también la única en la historiografía literaria de lengua española. Posiblemente, Henríquez Ureña no fue plenamente consciente de que la limitación impuesta era, en parte, la causa de su acierto. De algunas líneas del mismo prólogo y de otros trabajos suyos, como las culturas y las letras coloniales en Santo Domingo, cabe deducir que él concebía la historia literaria a la manera tradicional, esto es, como la ordenación cronológica del material literario y con el propósito, demasiado frecuente en la historiografía literaria hispánica, de demostrar una densidad cultural —de eso peca Menéndez y Pelayo— o de erigir, en aras de una piadosa justicia, un efímero monumento tipográfico a la memoria de los muchos que, con mayor o menor mérito —casi siempre menor—, se habían consagrado al ejercicio de las letras.

Sin embargo, Henríquez Ureña no llegó al extremo a que llevaba semejante concepción. En su ensayo sobre *El descontento y la promesa,* aparecido casi dos decenios antes que las *Corrientes,* había dicho que "la historia literaria de la América española debe escribirse alrededor de unos cuantos nombres: Bello, Sarmiento, Montalvo, Martí, Darío, Rodó". Aunque en el citado prólogo Henríquez Ureña hace la observación cortés de que ninguna omisión de nombres responde a un propósito crítico, lo cierto es que la selección obedece no sólo a la limitación circunstancial, sino a un criterio de valoración, el de dar los más cabales ejemplos de la busca de nuestra expresión. En ese criterio descansa el hecho de que sus *Corrientes* no fueron, ni podían ser historia completa, sino simplemente historia de la literatura.

Para precisar la diferencia entre lo que Henríquez Ureña llamaba "historia completa" y simplemente historia, nuestra muy rica lengua carece en su numeroso diccionario de palabras.

Sin poder entrar en los múltiples problemas que la cuestión plantea, podría recurrirse al artificio de llamar historiográfico lo que Henríquez Ureña designa como historia completa, e histórico lo que él entiende como proceso en busca de nuestra expresión. O, con otras palabras, que sólo pueden entenderse analógicamente, lo historiográfico en la historiografía literaria sería el equivalente de la historia pragmática, en tanto que lo histórico como proceso correspondería a una filosofía de la historia. La pregunta que subyace a las *Corrientes* de Henríquez Ureña y que él responde en esa obra reza: ¿cuál es el sentido de nuestra existencia histórica, a dónde vamos, qué hemos querido ser, qué hemos buscado?

Lo que Henríquez Ureña entiende por expresión se ejemplifica primeramente, pero no se reduce sólo a la expresión literaria. Esto es lo más manifiesto, lo que en su forma concreta del libro, del periódico, de la revista y del prestigio ligado a estos medios ha tenido más difusión continental que otras formas de la expresión.

Este es, pues, el hilo conductor de la exposición, que recoge el arte y la arquitectura, la música y el periodismo y también las precarias manifestaciones de las ciencias.

En busca de nuestra expresión, la historia literaria se convierte, en manos de Henríquez Ureña, en una historia de la cultura. Ello no quiere decir, empero, que las *Corrientes* sobrepasan los límites específicos de una historia literaria, sino al contrario: en Henríquez Ureña la historia literaria es, sin perder su especificidad, filosofía de la historia e historia de la cultura o, para decirlo más exactamente, la historia literaria de Henríquez Ureña incorpora la filosofía de la historia y la historia de la cultura. Es justamente esta incorporación lo que da a las *Corrientes* su carácter específico de historia en el sentido de proceso, a diferencia de las historias anteriores y posteriores, que son informativa acumulación de material. En fin, al incorporar la filosofía de la historia y la historia de la cultura, Henríquez Ureña incorporó también la historia política y social.

Hay que advertir, que aunque las *Corrientes* fueron concebidas como información sucinta y orientadora para un público norteamericano, el libro resultó, como la *Gramática* de Andrés Bello, una obra "para uso de los americanos". La obra informa y orienta, y con eso satisfizo la curiosidad de quienes escucharon las lecciones, pero su valor real es sólo apreciable por quien conoce previamente algunos o muchos de los textos y de los autores que él menciona larga o muy brevemente, es decir, la lectura de las *Corrientes* presupone conocimiento, y con ello no satisfizo, sino que exigió la curiosidad y la atención de los lectores latinoamericanos. En este sentido, la obra no logró cumplir lo que se proponía tácitamente. Pero no porque los lectores no estuvieran preparados, sino porque estaban ocupados con otras cosas. Muchos problemas que la historiografía literaria de España y Latinoamérica ha debatido y sigue debatiendo —pese a la esterilidad y a la fatiga que produce la monótona repetición de los argumentos y de los prejuicios disfrazados de argumentos, que son los más— como por ejemplo el bizantino sobre la inautenticidad del modernismo, los había resuelto Henríquez Ureña o al menos había indicado el camino para resolverlos, con dos o tres frases.

Que un Bowra no haya leído a Henríquez Ureña y por ello afirme sin mayor conocimiento de Rubén Darío y de su contexto que un poeta nacido en Metapa es extravagante cuando menciona a algún dios del Olimpo griego, porque el Olimpo griego nunca estuvo en Metapa, olvidando, de paso, que con esa lógica podría hablarse de la extravagancia de la filología clásica, porque ni Sófocles ni Platón ni Aristóteles ni Esquilo estuvieron nunca ni en Berlín, ni en Londres ni en París; que esto suceda, no es extraño, si se piensa que los expertos europeos en Latinoamérica suelen hablar cosas muy importantes sobre Latinoamérica sin saber nada de Latinoamérica. Pero que un historiador hispánico de la literatura no se haya ocupado siquiera de poner en tela de juicio y de confirmar algunas tesis de Henríquez Ureña sobre tan divertido juego de opiniones y contraopiniones nacionalistas, y que acabe aceptando las opiniones defensivas, con que se quiere desacreditar, con despreciable mezquindad, la significación del modernismo, esto ya no sólo produce extrañeza, sino que plantea un problema de sociología y, más concretamente, de sociología de la historiografía literaria, que vale la pena dilucidar, aunque sólo sea en forma de esbozo.

Para eso volvamos a la obra de Henríquez Ureña. Las *Corrientes* no sólo están presididas por el propósito de poner de relieve las corrientes relacionadas con la busca de nuestra expresión, sino también y aunque de manera tácita no menos perceptible, por la idea de la utopía de América. El entiende la utopía en un doble sentido: como la primera realización de un viejo sueño de Europa, que dio nacimiento a América y a su vez a las nuevas esperanzas utópicas de los europeos, como Moro y Campanella, y como una meta obligada de la vida social, política y económica de América. En su carta al director de la revista *Estudiantina,* de Buenos Aires, recogida luego bajo el título justamente de *La Utopía de América,* de 1925, decía Henríquez Ureña: "Hoy, en medio del formidable desconcierto en que se agita la humanidad, sólo una luz unifica a muchos espíritus: la luz de una utopía, reducida, es verdad, a simples soluciones económicas por el momento, pero utopía al fin, donde se vislumbra la única esperanza de paz entre el infierno social que atravesamos todos... Dentro de nuestra utopía, (la americana), el hombre deberá llegar a ser plenamente humano, dejando atrás los estorbos de la absurda organización económica en que estamos prisioneros y el lastre de los prejuicios morales y sociales que ahogan la vida espontánea; a ser, a través del franco ejercicio de la inteligencia, y de la sensibilidad, abierto a los cuatro vientos del espíritu".

Entre la utopía como realización de un sueño europeo de esperanza y como motor del nacimiento de América y la utopía americana, meta de una realización política, coloca Henríquez Ureña las corrientes literarias en busca de nuestra expresión. Porque esa búsqueda de nuestra expresión es también la búsqueda de realización de la naturaleza utópica no sólo de América, sino del hombre. Entre el postulado de utopía y la realidad americana surgen en el decurso del largo camino discrepancias. La utopía americana aspira, en cuanto es utopía, a la aparición del hombre universal, de la justicia plena, de la hermandad humana, de la solidaridad universal, en tanto que el presente sólo conoce el nacionalismo de jícaras y poemas, como lo llama con elegante discreción Henríquez Ureña. ¿Cómo conciliar estos términos? Henríquez Ureña responde: "El hombre universal con que soñamos, a que aspira nuestra América, no será descastado: sabrá gustar de todo, apreciar todos los matices, pero será de su tierra... en el mundo de la utopía no deberán desaparecer las diferencias de carácter que nacen del clima, de la lengua, de las tradiciones; pero todas estas diferencias, en vez de significar división y discordancia, deberán combinarse como matices diversos de la unidad humana. Nunca la uniformidad, ideal de imperialismos estériles; sí la unidad, como armonía de las multánimes voces de los pueblos". La sintética formulación de su concepto de utopía no deja ver, a primera vista, el parentesco intelectual entre Henríquez Ureña y Ernst Bloch, sobre el que quiero llamar la atención, no para cometer la infantil audacia a que nos ha habituado Ortega y Gasset, esto es, la de decir que uno de los nuestros ya había dicho con años de anticipación lo que algún europeo afirma con mayor y justificado éxito;

tal no es el caso, sino porque me interesa destacar la época, (Bloch y Henríquez Ureña son relativamente contemporáneos), la tendencia (expresa en el uno, tácita en el otro) y diversas consecuencias a las que me referiré más adelante.

Para Henríquez Ureña, la utopía de América será la conciliación de lo autóctono y lo universal, o con otras palabras, la realización del hombre libre, del hombre no enajenado. Los dos términos, que no se oponen, sino que se complementan, tienen su correspondencia concreta en las *Corrientes,* en el método de la exposición. Las alusiones de Henríquez Ureña a autores de la literatura europea, no sólo a influencias, sino sobre todo a temas y motivos, hechas en relación con autores latinoamericanos, tiene este sentido, es decir, el de buscar en las corrientes la relación entre lo universal y lo autóctono. En sus primeros ensayos, en los *Ensayos críticos* y en las *Horas de estudio,* Henríquez Ureña había establecido estas relaciones con mayor detalle; en las *Corrientes* le basta la alusión, breve pero suficiente, lo cual significa, en ambos casos, que él incorpora el comparatismo a la historia literaria y que al ponerlo en ese marco de la utopía, lo dota de un sentido, es decir, le da una función, de la que, por lo menos en su tiempo, solía carecer. En este ejemplo se ve que la idea de la utopía y de su complemento, la de la busca de nuestra expresión, determinan el empleo de los métodos tradicionales de la ciencia literaria, y consecuentemente toda la estructura de su historia.

Dejemos de lado una mención más detallada

de otros aspectos que se encuentran en las *Corrientes,* como por ejemplo la relación que él establece entre las expresiones literarias y las expresiones artísticas (pintura, arquitectura, música y folklore) y científicas, esto es, la simbiosis de las artes, como solía llamarse en la ciencia literaria alemana. Fijémonos en un aspecto más importante para la historiografía literaria en general y para la concepción propia de Henríquez Ureña. Es el de la periodización. La periodización de sus *Corrientes* no podía orientarse según el modelo conocido entonces, esto es, Edad Media, Renacimiento, Epoca Moderna. Latinoamérica carece de una literatura medieval y, como España, de una literatura renacentista, pero los ecos españoles de la Colonia no son clasificables dentro de la modernidad. Consecuente con sus ideas rectoras de utopía y busca de nuestra expresión, Henríquez Ureña se decide por una periodización histórico-social de la literatura que, por otra parte, resulta más flexible y adecuada al decurso real de las letras. Así habla él no de literatura colonial, sino de un largo período (1492-1600) en el que se crea una sociedad nueva, al que siguen dos siglos de florecimiento del mundo·colonial, que, dialécticamente, estalla en la declaración de la independencia intelectual (1800-1830), a la que siguen, en ritmo veloz, el período de la anarquía y su correspondencia, el romanticismo, y finalmente el período de la organización hasta llegar a los problemas del presente.

A primera vista, la periodización es pragmática. Vista más de cerca, ella es dialéctica: tras el largo sueño de la Colonia, vienen los breves pero agitados pasos de la independencia, la anarquía y la organización. Pero por este camino, Henríquez Ureña logra para la historiografía literaria lo que más tarde señaló, con mayor detalle y fundamentación teórica, Braudel para la historia: que hay períodos de corta y de breve duración, y que ésta depende no de factores espirituales, sino de factores materiales demostrables y precisos. Importa señalar este hecho, porque la historiografía literaria latinoamericana ha adoptado como criterio periodizador el de las generaciones (baste recordar solamente el manual de Anderson Imbert y la obra de Arrom), criterio que frente al de Henríquez Ureña significa un retroceso y descubre una concepción de la historia, de significación ideológica: una concepción biológico-mecanicista, en la que los portadores del proceso histórico son élites con muy precisas características sociales como son, el privilegio de la cultura y la existencia de un caudillo del grupo. El punto de partida, esto es, la idea de la utopía, así como también el criterio de periodización, exigen que se piense en grandes dimensiones de tiempo y espacio, en totalidades: para Henríquez Ureña, las totalidades, es decir las épocas, se cristalizan en una, que como la utopía es al mismo tiempo previa y real y proyectiva. Es la unidad de América latina, o como dice en otros ensayos, la magna patria. "La unidad de su historia, la unidad de propósitos en la vida política y en la intelectual, hacen de nuestra Amé-

rica una entidad, una magna patria, una agrupa
ción de pueblos destinados a unirse cada día más
y más" escribió en el ya citado ensayo sobre *La
Utopía de América.*

Pero Henríquez Ureña no ignora, que esa unidad real (que no desconoce las diferencias dentro de la agrupación de pueblos) ha venido des-
moronándose, y cita a Bolívar, quien en uno de
sus momentos de mayor decepción dijo "que si
fuera posible para los pueblos volver al caos, los
de América latina volverían a él". Y agrega: "El
temor no era vano: los investigadores de la historia nos dicen hoy que el Africa central pasó,
y en tiempos no muy remotos, de la vida social
organizada, de la civilización creadora, a la diso-
lución en que hoy la conocemos y en que ha
sido fácil presa de la codicia ajena: el puente
fue la guerra incesante".

El supuesto de la unidad de América latina
es no sólo un supuesto metódico, esto es, el de
considerar las manifestaciones literarias de diferentes repúblicas americanas como una unidad,
como una conjunta busca de nuestra expresión,
sino que es también un postulado político, reflejo de la época que vivió Henríquez Ureña, quien
encarna muchos aspectos de ella. Desde la perspectiva literaria, de la obra de Henríquez Ureña,
la época está determinada por el encuentro de
dos movimientos de carácter literario y político:
la presunta agonía del modernismo y la Revolución mexicana de 1910. "Nuestros escritores
—asegura Henríquez Ureña— fueron volviendo
poco a poco a su costumbre tradicional de inter-

venir en los negocios públicos... Pero ahora sabían que no tenían probabilidades de ser elegidos como jefes: su principal función fue la discusión y difusión de las doctrinas políticas, y, con no poca frecuencia, el examen de sus fundamentos filosóficos". "Los hombres de letras que toman parte en nuestra vida pública figuran rara vez en el gobierno: pertenecen a la oposición, y suelen estar mucho más tiempo en la cárcel que en el poder, cuando no en el destierro, forzoso o voluntario". La oposición no era sólo contra las dictaduras, sino también contra la política agresiva de los Estados Unidos y contra los intereses de las clases que sostenían las unas y la otra. Tal es, a grandes rasgos, la experiencia histórica, social y política de la que se nutre la obra de Henríquez Ureña. Juzgadas desde la actual perspectiva, tras la experiencia de la Revolución cubana de 1959 y las paulatinas y difíciles transformaciones que ella ha provocado en América latina, resultaría difícil designar el pensamiento de estos hombres de letras de la oposición como pensamiento revolucionario. Sin embargo, lo fue. Para su época y en el sentido de que mantuvo y conservó, en medio de un aburguesamiento cada vez más creciente de la sociedad, la conciencia de emancipación, de unidad continental y de revolución social. Estas exigencias subyacen y conforman la historiografía literaria de Pedro Henríquez Ureña.

Retomemos el hilo de la exposición para intentar responder, en forma sumaria, a la pregunta insinuada al comienzo, esto es, ¿por qué las

Corrientes fueron honradas con respeto pero con silencio? ¿Por qué soluciones a problemas puramente literarios que ellas ofrecían y que tras el trabajo posterior han sido confirmadas, no fueron ni aprovechadas ni siquiera tomadas en cuenta por la historiografía literaria o más concretamente por la mayoría de los llamados estudiosos de nuestras letras? Se carece del material previo sobre historia de la ciencia literaria en América latina, y por ello la respuesta resulta necesariamente incompleta. Cuando aparecieron las *Corrientes,* hacía ya un decenio que, con ayuda del mismo Henríquez Ureña, había comenzado a difundirse en América latina —desde el legendario Instituto de Filología de Buenos Aires— la estilística de Leo Spitzer. Este se presentaba con la pretensión de modernidad última, de irrevocable e irrefutable cientificidad y de verdad absoluta. Se lo concibió como un remedio contra el irritante impresionismo de la crítica literaria, pero también como la inauguración del trabajo sólido científico, que tantas estrellas había producido en España. Nadie resta el mérito de ese Instituto, al que, como suele olvidarse, contribuyó Henríquez Ureña con más eficacia y sacrificio de lo que se adjudica a sus famosos directores. Pero a la distancia, resulta imposible pasar por alto el hecho de que su propósito, al menos el que se trasluce en sus trabajos, en muchos de sus trabajos, era ingenuo y, además, miope: se trataba de trasplantar la porción de ciencia literaria alemana cultivada en Madrid y, desconociendo la que por las mismas fechas florecía en Inglaterra o en la misma Alemania, consagrarla perennemente.

La coronación publicitaria de este trasplante fue celebrada hacia finales de los años 40 por Dámaso Alonso, a quien secundó, con mayor éxito, Carlos Bousoño, muy pocos años después. La jubilosa recepción de la estilística en América latina es explicable si se tiene en cuenta su carácter: tal como la fundamentaron, si así cabe decir, los dos Alonsos y luego Bousoño, ella es irracional y al mismo tiempo está revestida de un aparato conceptual de apariencia matemática.

Satisface, sin poner en tela de juicio, la aspiración irracional del impresionismo, que Dámaso Alonso llama, significativamente, la intuición, y satisface al mismo tiempo la aspiración del intuicionismo, esto es, la de justificarse racionalmente mediante una terminología aparentemente racional. Es, pues, radicalmente moderna y al mismo tiempo conservadora, y por el primer aspecto respondía a un cambio general de la cultura en América latina, que Francisco Romero llamó para la filosofía el tránsito a la normalidad, con lo que quería decir, la institucionalización social de ciertas disciplinas científicas. Hasta qué punto esa institucionalización descansa en supuestos problemáticos, es un problema que no corresponde tratar aquí.

Dentro de los estudios literarios, la estilística rechazó todo elemento histórico y desplazó así a un plano calificado de anticientífico todo lo que no era análisis estilístico. A este tácito fusilamiento de lo histórico por la estilística sucumbió la obra de Henríquez Ureña. Lo que había acontecido era no sólo el triunfo de un método sobre otro, sino también una inversión de los términos. Lo que debía ser ciencia auxiliar de la historiografía literaria, se convirtió en ciencia absoluta. Su punto de vista se impuso y éste, que es un paso previo de todo análisis, esto es la desmembración de conjuntos, redujo hasta la miopía histórica el campo de estudio.

Desde otro aspecto, la función atomizadora de la estilística respondía a tendencias histórico-políticas: a los nacionalismos recalcitrantes y de múltiple y compleja estructura, que si no rechazaban lo histórico, al menos lo convertían en una reducción a lo tradicional y a lo autóctono, a la vida provinciana y parroquial. También en este caso se invirtieron los términos: las historias nacionales de la literatura, que deben ser material previo, se convirtieron en el primer y casi único objeto de la historiografía literaria.

Estos dos factores, fundados en el desarrollo de la sociedad, anularon las posibilidades de una historiografía literaria como la había proyectado Pedro Henríquez Ureña. Lo que se oculta tras esta alternativa, esto es, historiografía literaria con perspectiva continental y de postulado político e historiografía literaria reducida a estilística o a nacionalismo es un problema ideológico, que se ha profundizado cada vez más. Suele presentarse como la alternativa de ciencia o no-ciencia, y quienes así lo hacen, en la sociología, por ejemplo, no se ocupan siquiera de pensar que esa alternativa es falsa, porque de lo que se trata es de dos posiciones científicas: la que piensa históricamente y en totalidades y la que piensa históricamente y en parcelas inmediatas. En este segundo caso, la ciencia o lo que se entiende por tal es sólo un amplio aparato bibliográfico, terminológico y expositivo, que no garantiza ni la objetividad ni la exactitud de sus resultados. La disposición decimal de un artículo, la inflación terminológica de una investigación sociológica ocultan muchas veces la banalidad de opiniones logradas no científica, sino intuitivamente.

La disputa entre las dos posiciones resulta insoluble, al parecer, desde un punto de vista puramente metodológico. Es la disputa conocida bajo el nombre de disputa del positivismo, entre el pensamiento dialéctico y el positivismo. Aquí sólo interesa, para concluir, poner de presente el horizonte social en que esa disputa, inexpresiva, se presenta en América latina. No se presenta de modo definido entre dos grupos, sino en muchas ocasiones aparece como contradicción esencial en el trabajo individual, y esta forma puede ejemplificarse de modo muy ilustrativo en los sociólogos (Falls Borda). Es el caso, pues, de sociólogos que predican que la sociología es una ciencia comprometida y revolucionaria y que al mismo tiempo trabajan con métodos y conceptos de la sociología norteamericana, que trae implícito el modelo para el que esos métodos y conceptos fueron elaborados, esto es, la sociedad norteamericana. Es decir, el oprimido articula la comprensión de su existencia histórica y de sus reclamos de justicia en el lenguaje interesado del opresor. No es extraño, pues, que de la historiografía literaria haya desaparecido el propósito de una visión continental, esto es, de un pensamiento que trabaja con totalidades históricas, y que, consecuentemente, a la sombra de un especialismo con aspiraciones científicas, los nacionalismos de jícaras y poemas, de coronaciones municipales y clamores telúricos, pueda hacer, y deba hacer, alianza con los diversos formalismos nuevos, asimilados a medias y por lo tanto fugaces. El uno sigue al otro y muchas veces se superponen babélicamente. ¿Qué fundamento social encuentra este fenómeno de atomización, de conformismo disfrazado de ciencia, de asimilación servil de todo lo que viene de los Estados Unidos, unido a un parroquialismo? Los modernistas temían, en la conocida frase de Rubén Darío, ¿qué "tantos millones de hombres hablaremos inglés?". El temor se ha cumplido.

Y el cumplimiento de este temor no se debe exclusivamente a causas políticas, sino a causas económicas y sociales, y que podrían resumirse en un vocablo grato a los sociólogos de hace no muchos años: la emergencia de los sectores medios, y con ello a todo el aparato conceptual que ha servido para analizar las posibilidades de esa emergencia, para planearla y para fomentarla. Este aparato conceptual implica evidentemente formas de valorar y sistemas de valores, no sólo en el campo de la vida social diaria, sino también en el de la investigación científica y en el de la ciencia literaria. Estos valores, cristalizados en lo que por los mismos años, no hace mucho, se llamó la revolución de las expectaciones, despertaron, con el soborno de un próximo confort para todos, esperanzas, realizables sólo con los medios que habían provocado esa presunta revolución.

Quiero comprobar el hecho a manera hipotética, para explicar su reflejo en la historiografía literaria latinoamericana y no sólo en ella: se ha perdido de vista a América latina. Es preciso reconocer que este esbozo por sumario puede pecar de maniqueísmo. Quiero entender las tesis como una invitación a mis colegas latinoamericanos para que sin abandonarse a la apología, pero sin excederse en la crítica tratemos todos de recuperar todos los programas que, como el de Henríquez Ureña, o el de tantos escritores de su edad y de su época y de su tendencia, dieron una visión total de los caminos históricos por los que ha seguido América latina y con ello indicaron el que debe seguir. Henríquez Ureña cumple en sus *Corrientes* al nivel histórico-literario las aspiraciones de un Bolívar, de un San Martín, de un José Martí, es decir, él trazó los caminos de la independencia en la literatura, sin perder de vista que, como dice en uno de sus ensayos, ellos constituyen a·la vez el descontento y la promesa. Esas aspiraciones no se han cumplido en la vida social, política, económica de América latina, y se cumplirán cada vez menos si se pierde de vista la utopía de América latina.

Para Henríquez Ureña y para Alfonso Reyes, la utopía no tiene sentido negativo, es una fuerza de la historia, es la que impulsa a romper el continuo de la historia, en palabras de Benjamín. Esa fe en la utopía parecerá hoy ingenua y en muchos puntos algo patética y hasta inútil, pero vale la pena revisar lo que ella dejó, porque lo que ella dejó tiene una considerable porción de profecía y admonición. Quizás tras un examen de la obra de Henríquez Ureña, con crítica justa, pero sin la compasión por el monumento, haga pensar en que también una historiografía literaria, consciente de sus supuestos ideológicos, forme también parte de lo que Marta Traba ha llamado la cultura de la resistencia. Y quizá llegue a tener una eficacia mayor dentro de esta cultura, porque sin despreciar el detalle y el trabajo de taller, no pierde de vista la totalidad, que es la única capaz de lograr una verdadera y radical emancipación.

Rafael Gutiérrez Girardot

LA CULTURA DE LA RESISTENCIA

1. *La cultura de la resistencia*

A PARTIR DE las guerras de la independencia, el tema número uno del continente ha sido el de la dependencia. Bien sea denunciándola o considerándola favorable, cambiando su nombre por "condicionamiento", "esclavitud" o "asociación con otras potencias", según obedezca a uno u otro punto de vista; combatiéndola de modo directo, frontal o tangencial; permaneciendo indiferente a ella pero sintiendo su acoso, no ha dejado de gravitar un día sobre nosotros. La obstinación de la cultura por perforar el problema de la dependencia parte, desde luego, de la confianza de vencerla y superarla, y de la certidumbre de que, dentro de ella, nunca se podrá aspirar a las formas modernas de la libertad.

Los modos de quebrar la dependencia han pasado, genéricamente, de una emotiva fe en que rompiéndola parte a parte, en sus síntomas, en sus detalles, en sus zonas diferentes de acción, dentro de un frente múltiple de avance contra ella, se podía, finalmente, liquidarla. Pero, como es sabido, en los últimos años un proyecto global ha barrido las ilusiones particulares y se ha logrado relativa unanimidad sobre la idea de que únicamente será destruida si se produce el cambio de estructuras, es decir, la transformación radical de la sociedad capitalista en sociedad socialista, de matiz múltiple y a veces, como lo corrobora la historia más reciente, inesperado.

Los escritores y artistas fueron siempre especialmente receptivos al problema de la dependencia, a pesar de que ahora se tienda a desmonetizarlos y a minimizar su influencia. Es claro que solamente sobre la base de considerar que la palabra escrita, el pensamiento emitido o la obra de arte expresada, constituyen una forma especial de poder dentro del grupo social al encarnar las aspiraciones de dicho grupo, vale la pena hablar de su papel en el problema de la dependencia. En caso contrario, partiendo de una premisa que por desgracia flota en la actualidad, según la cual el artista y el escritor carecen de toda representación diferente a la del ciudadano raso, no interesaría ni siquiera emprender un análisis superficial de su trabajo.

Todos los creadores que hablaron y actuaron reconociendo el problema de la dependencia apuntaron·hacia la autonomía y la urgencia de identidad.

De Martí a Carlos Fuentes corre un siglo, (trajinado por estudiosos como González Prada, Mariátegui, Henríquez Ureña, Zum Felde, Massuh, Leopoldo Zea, Lezama Lima, Paz), sin que las dos metas se conmovieran un centímetro. Sin embargo, conseguir mediante la autonomía y la liquidación de la dependencia, una identidad, significaba y significa para el trabajo artístico y literario un delicado problema de utilización de fuentes culturales y de fuentes de lenguaje.

En este dilema, lo único claro fue siempre el mundo físico alrededor del artista latinoamericano, surtiéndole proposiciones étnicas, lingüísticas, geográficas, idiosincráticas, de una riqueza muchas veces excesiva. Pero todo buen artista es consciente, por vía racional o instintiva, de que la realidad no adquiere existencia sino a través de un proyecto, y que la obra es tanto más valiosa cuanto más general es ese proyecto.

América ha suministrado situaciones globales en todos los campos antes enunciados, que enfrentaban a los artistas con una visión de mundo y un estilo de comportamiento inéditos respecto a las culturas conocidas: sin embargo, este exceso de situaciones que rodeaban al artista no podía ser trasladado al campo de la cultura sino mediante apropiaciones de lenguajes provenientes de afuera. Prismas culturales sucesivos, el español, el francés, el norteamericano, se interpusieron entre la realidad y el artista, dificultando sin cesar el enunciado de un proyecto propio. El pasaje de la modernidad a la actualidad interpuso un nuevo y grave obstáculo, como fue el triunfo (dentro del capitalismo y también del socialismo) de los códigos privados, mientras se destruía paulatinamente la posibilidad de un código general. Tal situación, acorde con las nuevas sociedades altamente industrializadas en una u otra zona, no correspondía ni convenía a Latinoamérica, pero representó, no obstante, la única alternativa de trabajo: la cultura subdesarrollada no ha sabido formular hasta ahora una alternativa a los códigos privados.

Con ellos, también penetró hasta el fondo de la dependencia, el problema de la formulación de lenguajes. A cada código particular corresponde un lenguaje, en alguna manera, privado, y, por consiguiente, una forma de lectura también particular, lo cual lleva a descodificaciones múltiples que son resueltas según la capacidad de comprensión del público. Si esto produjo en los países altamente industrializados un grave desfasaje entre receptor y transmisor, en América Latina arte y literatura entraron en pleno desprendimiento de su grupo social, lo cual, como veremos más adelante, nada tiene que ver con "arte clasista" o "arte elitista", como se ha querido esquemáticamente presentarlo.

Por una parte, era preciso que el artista latinoamericano aprendiera a hablar en un idioma correspondiente a su tiempo; por otra, ese idioma lo separaba cada vez más de su situación particular, de las emergencias de dicha situación y de sus compromisos con el medio. Cuando se planteó una tajante liquidación de la dependencia a través de cortes radicales con la cultura y el lenguaje modernos, tal solución no dio más que resultados inválidos para el arte y la literatura. Me refiero a la ilusoria destrucción de la dependencia por vía de negar la cultura del siglo XX así como el lenguaje propuesto por dicha cultura, llegando a posiciones estáticas y conser-

vadoras, cuando no arcaizantes, como fueron indigenismos, nativismos y también nacionalismos
de todo pelaje, a la cabeza de los cuales se situó
vigorosamente el nacionalismo pictórico mexicano.

La salida negativa constituyó una nueva forma de dependencia, no a las culturas dominantes
del siglo XX sino a las del siglo XIX, cuando no
una pura desviación del terreno creativo, como
pasó con los indigenismos revanchistas.

2. El artista burgués

Entre la dependencia derivada de negar la
cultura del siglo XX, y la dependencia por mimetismo con la visión de los países altamente industrializados, se produjeron otras mediaciones. En
una se situaron aquellos artistas resueltos a responder individualmente a los anhelos y demandas de la comunidad, forzando la conquista de
una autonomía parcial. En otra, los artistas que
se sentían obligados a deponer sus puntos de
vista individuales para responder a las emergencias por las que atravesaba la comunidad. Pero
antes de averiguar si sus posiciones fueron o no
eficaces, habría que establecer de dónde salen
ambos tipos de artistas, los independientes y los
políticos. Tanto unos como otros siguen produ-
ciendo sus obras dentro de una misma clase social
y económica, la burguesía. No hay necesidad de
repetir que el proyecto artístico que avala el
mundo moderno es un proyecto burgués, salido
de las revoluciones burguesas y apoyado sobre la

capacidad de cada individuo de expresarse y expresar a los demás. Concebido como un servicio con el destino expreso de dar satisfacción a la burguesía y al mismo tiempo de presentar los valores y puntos de vista de un mundo burgués, no se desprendió, pasando de lo moderno a lo actual, de dicha carga: el hecho de que la burguesía reciba mal la obra de los artistas actuales, no modifica esta situación. El artista actual sigue siendo burgués y expresando el mundo de la burguesía. Si aparentemente ha cesado de prestarle un servicio, es porque nuevas formas expresivas lo desalojan contra su voluntad, no porque esté situado en un campo opuesto. Sigue en el mismo campo, pero sus ofrecimientos han perdido atractivo para la burguesía desde el momento en que aparecieron competidores más tácticos, complacientes y dispuestos a facilitarle la ingestión de alimentos culturales más fáciles, así como todas las falsificaciones literarias y artísticas que constituyen la industria cultural.

En áreas donde hay fuerte producción de orden (cultura) y fuerte producción de desorden (entropía), las contradicciones del arte actual y las falsificaciones de los medios de comunicación de masas se presentan con tanta claridad, que han favorecido los contraataques de los artistas y la apertura de frentes de competencia que no es el caso examinar aquí. A nosotros nos concierne otro escenario, de escasa actividad cultural y de escasa entropía, de escasa elaboración tanto de orden como de desorden, donde el artista queda más desguarnecido y sujeto a sus propias iniciativas, casi siempre ajeno a presiones que nadie se ocuparía en ejercer sobre él.

Caminando en el desierto de la lumpenburguesía, su conducta es, por extraña paradoja, mucho más autónoma y responsable que en las áreas desarrolladas. La inercia de la burguesía favorece la toma de conciencia del artista: cuando la burguesía, en cambio, se dibuja en Latinoamérica con algún relieve y manifiesta aspiraciones más netas, el artista corre el peligro de volver a servirla y calcar las pretensiones progresistas y tecnológicas con que disfraza sus complejos provincianos. Es por eso que las formas más miméticas y despersonalizadas se han dado casi siempre en Buenos Aires y Caracas, mientras en las demás capitales prevalece en mayor o menor grado el desamparo. Sería interesante estudiar el mimetismo artístico en la dirección en que Gunder Franck analiza el subdesarrollo latinoamericano: comprobaríamos sin mucha dificultad que a mayor desarrollo, corresponde mayor dependencia y mimetismo artístico.

Aunque la cultura de la resistencia haya florecido en el desierto, el desierto no es, normalmente, un ámbito estimulante. Lo normal es que a la anomia social corresponda una anomia creativa, una debilidad constante ante las invasiones culturales y la docilidad mimética. Esto es lo que ha inducido a estudiosos de muy diversa extracción a ver a América Latina como un campo cultural devastado, exangüe, donde la dependencia ha marcado de modo irrevocable toda la producción creativa. Así, Darcy Ribeiro y Augusto

Salazar Bondy desde la perspectiva de la sociología; un crítico preocupado siempre por los problemas de la dependencia como Edmundo Desnoes, u otro que fue durante diez años el mejor servidor del colonialismo europeo y la penetración americana, como Jorge Romero Brest, se unen en esta depreciación de las obras producidas bajo la dependencia.

Sin embargo, esto no es cierto: negar drásticamente, como lo hacen Vasconi o Dos Santos, la posibilidad de una independencia parcial para la cultura, significa ubicarla al lado de la economía o la política, en una relación mecánica de causa a efecto que no le corresponde. Gran parte de nuestra creación artística y literaria buscó con verdadera energía y espíritu exploratorio, relacionarse con formas de vida mal conocidas, confusas y poco discernibles a primera vista, justamente porque sentían sobre sí el estigma de la dependencia y necesitaban salir de él por la vía de descubrimiento y rescate de hechos inéditos donde se reconocieran modos peculiares de existencia.

Desnoes escribe en su libro *Para verte mejor, América Latina,* cosas como éstas: "Está bueno ya de exaltar este caos (América Latina), llamándolo creador y esta imaginación heterogénea llamándola surrealista", y, más adelante: "La crisis actual de las artes plásticas en América Latina se aclara dándole la cara a cerca de doscientos cincuenta millones de hombres". Como siempre, la solución política al asunto de la dependencia cultural, muestra las verdades como si fueran soluciones, en una capacidad de transferencia realmente envidiable. No hay duda que si nos apoyáramos beatamente en el caos y la imaginación heterogénea caeríamos en pleno conformismo respecto a nuestras circunstancias, así como en la exaltación de un pintoresquismo superficial. Pero nada de esto es lo que ha hecho la cultura de la resistencia al reconocer como legítima y aprovechable para la actividad creativa, una índole derivada de transculturaciones y mestizajes, de formas de vida y cosmovisiones, que no desaparecen ni tienen por qué desaparecer cuando cambios radicales en los sistemas políticos obliguen a dar la cara a doscientos cincuenta millones de hombres.

Por otra parte, considerar que dando la cara, como dice Desnoes, se supera la crisis creativa y sus contradicciones internas, es una de las tantas frases vacías amparadas en la coartada revolucionaria.

Suponiendo que nazca de un aceptable sentimiento de culpa, resulta injusta con la cultura de la resistencia, que siempre ha tenido esa actitud de "dar la cara" en la base de su trabajo inventivo o reflexivo. Así como Mariátegui, en 1920, escribe que no puede existir cultura auténtica sin asimilación, refiriéndose a la realidad peruana y por extensión a la latinoamericana, la evidencia de esa realidad es lo que alimenta la mejor historia de las artes plásticas y la literatura continental. Nadie puede ignorar de qué contactos con la realidad nacen la narrativa de Rulfo como la de García Ponce, la de Asturias como la de Puig, la de Güiraldes como la de Guimaraes, la de Lezama como la de Cortázar: es cierto que el recorte de la realidad que ellos operan está situado en lo que llama García Ponce "el lugar de la escritura". También es cierto que sus obras circulan entre grupos minoritarios y no entre "los muchos" que reclama Desnoes. Pero esto corresponde a la especificidad de un trabajo que cada vez más ha sido tergiversado por el planteo político y cuyos deslindes son imprescindibles para apreciar el justo alcance de la cultura de la resistencia.

3. *Planteo político y arte*

El actual malentendido entre planteo político y arte es más grave que el que se produjo, en los treinta, entre arte nacionalista y arte a secas. Entonces se peleaba sobre temas, sobre la eficacia o la inconveniencia de ejemplos que sirvieran de endoctrinamiento al pueblo, sobre el modo de apologizar las historias nacionales.

Ahora el enfrentamiento parte de un punto distinto. Quien es enjuiciado es el artista, mucho más que su obra. Se cuestiona su procedencia burguesa, la especificidad de su trabajo y su capacidad de acción directa: la obra pasa a un irrelevante segundo término ante tal inquisición. El empuje de este nuevo cuestionamiento va dirigido, sobre todo, a negar la especificidad del lenguaje y del trabajo artístico, y a confundirlo despectivamente entre un oleaje de consignas.

La explicación de la obra de arte como un

hecho específico, que configura una tarea especializada, ontológicamente diferente a otras, parece tan obsoleta en los países desarrollados como apremiante en Latinoamérica. En los últimos años, a medida que un saludable proceso de politización sacudía más violentamente que nunca las nociones de dependencia, se ha hecho visible ese recrudecimiento de la reducción de la obra de arte a mensaje indiferenciado. También por eso se explica la persistencia obsesiva, por parte de artistas y escritores, en defender la naturaleza peculiar de la obra de arte. Defensa, compulsión y remordimiento alteran y pervierten la relación entre artista y sociedad latinoamericana. La relación inevitable y fructífera entre artista y política se convierte en una alianza compulsiva, que elimina tanto la libertad de análisis como la libertad de crítica, sin las cuales la creatividad pasa a ser un acto de servicio donde no aporta su contribución imaginativa y transformadora. La relación viva y dialéctica entre el artista y su medio se proyecta, asimismo, sobre un telón sombrío: el remordimiento de estar en el error, de ser señalado por no haber hecho lo suficiente, de traicionar sus obligaciones para con los demás. Así, el sentido liberador de esas relaciones, de donde deberían salir mutuamente exaltados los términos de confrontación artista-política, artista-pueblo, se pierde por completo y destruye la dinámica que debería estar en la base de dicha creatividad.

Hoy día parece un crimen en el continente sostener que hay una naturaleza creadora, o que los escritores ejercen profesionalmente la actividad crítica, etc.; pero no solamente es una naturaleza, determinada por la tarea de recortar y señalar un recorte de la realidad, rehacerla nuevamente según las intenciones de un proyecto cultural, buscar los sistemas de lenguaje o los órdenes combinatorios de elementos para transmitir esa nueva visión, sino que es, también, un poder. Estoy de acuerdo con el mexicano Gabriel Zaid cuando afirma que "parece absurdo que un escritor crea menos en las opciones prácticas del emplazamiento que tiene, que en las del poder que no tiene". Sin embargo, aunque parezca absurdo, la confusión reinante entre nosotros es tal a partir de la desestima de la obra de arte como trabajo específico, que lleva a una disyuntiva sin sentido: abandonar el poder real de la escritura o la creación plástica, para entrar en la acción revolucionaria directa o, en los casos menos dramáticos, para producir y transmitir mensajes operativos, donde no se verifica la mediación artística, sino que simplemente se vehiculan mensajes políticos, económicos, revolucionarios, populares, etc., tan impositivos y alienantes como los mensajes operativos de la industria cultural, y regeneran seudo-obras de arte remitidas a la indefendible mediocridad y los horrores sin atenuantes del realismo socialista soviético, pasado y presente.

Pero en el momento en que el escritor o el artista resuelven defender la decisión personal con que realizan una tarea específica, no sólo entran en colisión con los planteos políticos, sino también con las burguesías a las cuales pertenecen.

Basta que el artista o el escritor reclamen la especificidad de su trabajo, para que se conviertan en los tránsfugas de la clase burguesa. Dejan de responder a la burguesía como clase, quiéranlo o no, así como tampoco pueden ser proletarios. Se quedan sin perspectiva de clase, no porque la rechacen, sino porque no resultan integrados con ella. Son hombres de transición, abocados a actuar "por la conciencia de la soledad" que apuntaba Benjamin. No eligen la soledad, sino que ésta es un resultado inevitable de su tarea específica; por eso calificarla de virtuosa o viciosa, de reprobable o encomiable, es un puro error de concepto.

Si aceptamos que el intelectual ve el proceso social de manera distinta al resto, no por superioridad o inferioridad sino por simple división del trabajo, esto significa que también intervendrá en el proceso de manera diferente y que su combate frente a la dependencia se situará en parámetros distintos a los del hombre de acción y también a los del hombre de clase.

4. *La subversión permanente*

"El rifle del guerrillero", "el machete del cortador de caña", "la rueda dentada de la industria", "la flor de la canción", son saludados por Edmundo Desnoes como las respuestas de Cuba a la crisis de las artes plásticas latinoamericanas. Lo que cambian, únicamente, son los temas de la simbólica: símbolos de cantantes, personajes y productos de la sociedad de consumo, son cambiados por símbolos derivados de otras idealizaciones. No son exclusivas de las nuevas sociedades: también en nuestros países capitalistas se compra con la imagen de San Martín en el billete, se pegan estampillas con las alegorías de la patria o se colocan fenomenales carteles públicos advirtiendo que "todos los caminos llevan a México". De cualquier manera la imaginación es coaccionada para que siga las direcciones propuestas: patria, consumo, próceres, ideales. En una y otra parte la visión ha sido elaborada para "los muchos", para todos, especialmente para las concentraciones urbanas, donde los códigos distribuidos por grupos minoritarios terminan por obtener, por insistencia, convicción o compulsión, el consenso público. Los signos de estos mensajes pueden ser leídos por cualquiera en el mismo sentido: hay, pues, una lectura colectiva frente a un mensaje que, aunque no parte de la colectividad, ha terminado por ser aceptado por la propia anomia de dicha colectividad. ¿Qué pueden tener de común estos mensajes legibles y alienantes con la obra creativa que pretende ser siempre, aunque no se lo proponga explícitamente, un instrumento de liberación? Aparentemente nada.

El proceso creativo latinoamericano ha estado siempre en un vivac. Su estado de alerta frente a los problemas de la dependencia ha impedido que se ilusionara ante las diversas apariciones de códigos generales programados por grupos políticos y que los revisara con desconfianza y lucidez crítica. La modernización refleja y degradación cultural atribuidas por Darcy Ribeiro al proceso civilizatorio de América Latina recayeron, sin embargo, sobre la zona creativa. A fachadas aparentemente dinámicas y progresistas de la modernización refleja correspondieron artistas y escritores también de fachada, dispuestos a seguir el juego de ilusionismo desplegado por las minorías gobernantes, mientras que la tergiversación política, la pérdida de vitalidad creadora, la confusión acerca de la naturaleza y posibilidades de la obra artística, engrosan la degradación cultural.

Sin embargo, los artistas que corresponden a la cultura de la resistencia se separan de uno y otro peligro: rechazaron la modernización refleja como una forma de impostura, pero se sirvieron de los materiales lingüísticos modernos que se conocieron a través de ella. Sortearon asimismo la degradación cultural, pero exploraron a conciencia esta zona, considerándola una rica cantera de elementos aprovechables. Las mejores obras de las artes plásticas continentales funcionaron en este orden subversivo espontáneo, no programado por ningún grupo de poder. Sólo a la luz de la cultura de la resistencia adquieren su sentido y su proyección el conjunto de los iniciadores del arte moderno en América Latina: Torres García y Figari en el Uruguay, Tamayo en México, Mérida en Guatemala, Matta en Chile, Lam y Peláez en Cuba, Reverón en Venezuela, y hasta artistas aparentemente europeos, como el colombiano Andrés de Santamaría, el argentino Petorutti y el brasileño Di Cavalcanti.

Este gran grupo repite curiosamente, entre fines del siglo pasado y comienzos de este siglo, gestos que corresponden a fundadores de culturas. La mayoría fue perfectamente consciente de que les competía el ingreso al modernismo, y establecieron ese ingreso sobre las diferencias más que sobre las semejanzas. Por entonces nadie hablaba de lenguaje, ni hubiera pensado en él como en una estructura desmontable: se hablaba de estilos y se pensaba en aprovecharlos. Las diferencias se apoyaron, sobre todo, en transgresiones al estilo impresionista, expresionista y cubista europeo, y en descubrimientos temáticos: Figari descubrió la colonia a través del impresionismo; Di Cavalcanti, la opulencia del mestizaje a través del post-cubismo y el "art nouveau"; Petorutti, los soles pampeanos mediante el cubismo; Reverón, el sol del trópico gracias a las pinceladas libres; Peláez, la herrería habanera a través de Matisse; Portinari fue ayudado por Picasso para situar la indigencia negra.

Pero en la generación siguiente, cuya acción comienza a ser efectiva entre el 40 y el 50, la explosión del marco de "ismos" europeos deja sin piso al artista latinoamericano. A Szyszlo en Perú y Obregón en Colombia, a Alejandro Otero en Venezuela y a la generación de Fernández Muro en la Argentina, o a Ricardo Martínez en México, les toca trabajar en un lugar sin límites. Este momento de la cultura de la resistencia es especialmente conflictual. Buscando nuevos alineamientos, los artistas del continente se dividen entre quienes responden a la demanda de la modernización refleja y entran en la vía de las modas y la estética del deterioro; y quienes rechazan esta tendencia, tratando de reacomodarse en cada caso dentro de áreas locales que ni los protegen ni los rechazan. Esta línea resistente explora por el lado de la relación con la cultura indígena en Perú y Ecuador; por el recorte crítico o romántico de la realidad en Colombia; en México, por el rechazo de una revolución frustrada y frustrante. La situación de América Latina se balcaniza, pero este fenómeno, lejos de ser una desgracia, permite la revaluación de la región, por una parte, y por la otra el careo de la cultura de la resistencia con el mimetismo que viene a reemplazar la buena conducta epigonal de la generación precedente. De tales confrontaciones nace una conciencia más fundamentada del concepto de arte nacional y el descarte definitivo de indigenismos y nativismos.

Sin embargo, esta situación más clara y definida vuelve a sufrir un profundo revés en la década del 60, cuando la penetración de la civilización norteamericana reemplaza la influencia cultural europea. Durante unos años el golpe es tan fuerte, que la cultura de la resistencia parece eclipsarse: los certámenes internacionales, así como la velocidad de difusión de nuevos modelos, hacen pensar a los artistas que la alternativa es universalidad o provincialismo, y esta opción trasnochada altera profundamente el proceso creativo. La búsqueda de universalidad, la instalación de nuevos artistas en Europa para trabajar en proyectos artísticos asimilados a la ciencia y la técnica, la vergüenza de la provincia y la avasalladora fuerza del arte norteamericano, invaden el campo creativo durante una década signada por la entrega y la derrota de la identidad. No obstante, al aproximarse el final de la década, y coincidiendo con el entusiasmo por el triunfo de la revolución cubana, toca a la generación emergente volver a pronunciarse, con un sentido aún más subversivo, por la maltrecha y subyacente cultura de la resistencia.

En el 70 en Colombia, por ejemplo, las declaraciones de los artistas son increíbles: se deciden por la provincia, el subdesarrollo, la temática local, el desprecio frontal por la universalidad, el rechazo de las modas, el orgullo de la identidad. En el mismo sentido, nuevas generaciones artísticas de sitios olvidados como Guatemala o Puerto Rico, levantan una bandera revanchista que está menos apoyada en las exploraciones de paisaje, raza y orígenes de sus predecesores en la cultura de la resistencia, que en el uso de la "imaginación heterogénea" que les rodea. La consigna de estos artistas proclama "la imaginación en el arte" así como en el 68 se solicitó en Europa "la imaginación al poder". Esto los aligera del duro fardo del dogmatismo partidista y les permite entrar en la cultura de la resistencia, sin perder nada de su agresividad ni tampoco de su originalidad. Imaginación y crítica, humor y desenfado, desconfianza y ferocidad, se mezclan en este nuevo tramo de trabajo.

5. Eficacia, operatividad

¿En qué medida estas obras hacen el juego al sistema o, por el contrario, contribuyen al proceso revolucionario? Esta pregunta, que se dispara sin cesar en nuestro medio, reconduce a otra más reflexiva: ¿en qué medida las artes y la literatura, actuando como ideologías culturales, aceleran el proceso hacia el cambio? Por pertenecer a la ideología cultural y no a la acción directa, los artistas han sido blanco de tres posiciones: quienes los computan como fuerzas positivas dentro de ese proceso; quienes los juzgan como elementos de distracción que favorecen inconscientemente al sistema; quienes, lisa y llanamente, los atacan porque no son "otra cosa".

Quienes los contabilizamos como fuerzas positivas (de ninguna manera decisivas), creemos en su poder y en la limitación natural de ese poder. En su poder de descubrir relaciones no visibles dentro de la sociedad, de emparentar la acción del hombre con sus motivaciones profundas, de revelar mecanismos peculiares de tal o cual comportamiento social, y de arrojar luz sobre el progresivo esclarecimiento de grupos humanos que se desconocen enteramente a sí mismos. En tal caso, la cultura de la resistencia rebasa su finalidad estética, y toca una ética y hasta una epistemología.

Quienes los juzgan, en cambio, como meros elementos de distracción, siguen demasiado de cerca las teorías actuales, en especial marcusianas, según las cuales el artista crítico es absorbido por la sociedad que digiere su crítica y la neutraliza. Aunque haya algo de verdad en esto, lo cierto es que los mecanismos de defensa contra la peligrosidad del artista, dependen exclusivamente de que una sociedad sea lo bastante cultivada como para creer en la peligrosidad del artista. En la mayoría de nuestros países, el prestigio del artista es tan relativo como ínfimo el grado de peligrosidad que se le concede.

Esto facilita, desde luego, el menosprecio con que se lo juzga desde planteos políticos radicales que desconocen la valiosa naturaleza de sus aportaciones, en la misma medida en que no persiguen la asunción de comportamientos reflexivos, críticos y adultos en el continente.

A pesar de la confusión que la rodea, la tarea artística es un hecho concreto. Un conjunto voluminoso de artistas y escritores que han aumentado su público en lugar de disminuirlo como pasa en Europa y los Estados Unidos; que pertenece económica y culturalmente a la burguesía pero no la representa ni la encarna como clase; que ha sido tocado sólo tangencialmente por la crisis resultante de la competencia de los medios de comunicación de masas; que corresponde a sociedades donde la técnica y la ciencia son más aparentes que reales, y donde, no habiéndose alcanzado la opulencia, es impensable y sin sentido un "arte pobre" o de desecho; que vive en ambientes donde no se ha producido ninguna escisión entre un vanguardismo en el vacío y las tradiciones culturales; se constituye en fuerte elemento explicativo de todas estas peculiaridades.

6. *Regionalismo e identidad*

Una de las piezas claves de la explicación americana que ellos proveen con sus obras, es la de evadir la retórica utopista que unió nuestros países en un imaginario bloque latinoamericano, para asumir de frente las diferencias regionales. Han sido capaces de comunicar la voluntad y especificidad regional al mismo tiempo que construían una estructura mayor, global, donde se insertaban esos valores regionales, estableciendo entre ellos relaciones dinámicas que los convertían en verdaderas estructuras de sentido. No otra cosa es el modo de imaginar a través de Macondo, de soñar a través de Pedro Páramo, de hablar a través del Gran Sertón, de fabular a través de Wilfredo Lam, de ver la geografía a través de Obregón, de sufrir a través de Cuevas, de reunificarse con la sensibilidad indígena a través de Szyszlo. Ninguno de estos sistemas expresivos regionales ha prescindido del campo global, semántico y lingüístico, donde debía establecerse. Por eso no se trata de operaciones aisladas y más o menos eficaces estéticamente, sino de intentos paralelos de comunicar la realidad latinoamericana a través de un recorte parcial examinado a la luz de un proyecto general: el relevamiento de la provincia se adelantaría al cambio de táctica del imperio que, como anota Jaguaribe, puede pasar de la dominación satelizante a la provinciana, estimulando en cada región verdaderos enclaves de autodependencia.

El proyecto creativo ha repensado los múltiples aspectos que se dan en un grupo humano. Las coordenadas de tiempo y espacio, por ejemplo, han sido cuidadosamente revisadas según concepciones y vivencias distintas a las de las sociedades europeas y americanas, y también diferentes, aunque más afines, a las orientales y africanas. Involucradas en dichas coordenadas, han sido reinstalados los valores que conciernen a la vida y muerte, a relaciones humanas, a la historia y la geografía. Este examen radical ha hecho que, cuando las actuales sociedades desarrolladas se perfilan, como lo apuntó dramáticamente Hermann Broch, como sociedades "sin valores", las nuestras no acusen esa pérdida de valores, se empeñen en buscarlos y en restablecer una sociedad antológica, y desconozcan los parámetros de negación y apocalipsis nihilista donde se desarrolla el arte actual universal. Esto no parte de un optimismo idiota, sino de un uso inteligente del subdesarrollo y de la conciencia de que uno de los síntomas más claros del subdesarrollo es cargar con los procesos ajenos.

La visión penetrante y crítica de estos procesos es la que condiciona el marco global del proyecto artístico latinoamericano. Mientras en las áreas de desarrollo la historicidad se debilita frente a un presente sin atributos y a un futurismo apocalíptico, nuestro proyecto refuerza la historia, que se manifiesta en las obras artísticas como continuidad o nostalgia, como puente para establecer formas de recurrencia o como sistema para convalidar una circularidad cada vez más manifiesta.

En este proyecto global, la noción de provincia ha sido rescatada con propiedad y entusiasmo. Enzensberger escribe que "la provincia está en todas partes, porque el centro del mundo no se encuentra en lugar alguno, o a la inversa, porque en principio cabe admitir que su *omphalos* está en cualquier lugar". "...lo particular, lo válido de lo provinciano —afirma—, se libera de su propia entraña reaccionaria, del limitado tipismo del museo de glorias locales, y recobra así sus derechos". Aun cuando falta entre nosotros, todavía, la reflexión actual acerca de los valores de la provincia, sobre arte y literatura nacional, y sobre el sofisma de la universalidad, la praxis artística se ha adelantado: la revaluación de la provincia como lugar del proceso artístico es un hecho tan contundente en la América Latina actual, como es de definitiva la liquidación del revanchismo regionalista de los años treinta. También en la praxis, la "diferencia" ha demostrado su importancia sobre el "mimetismo". Por encima de tantas discusiones estériles, la suerte y destino de quienes apoyaron y exploraron la diferencia, no puede compararse con la de quienes apoyaron la alienación dentro del campo cultural invasor, borrados junto con el efímero centelleo de las modas. Así artistas como Lam o Botero crecen sobre el afianzamiento de una cosmovisión americana, mientras Le Parc o Soto se apagan con el eclipse de los experimentos europeos de post-guerra.

Con igual decisión con que el proyecto global persigue significar a través de la comunicación de situaciones regionales, incluye también la creación de sistemas lingüísticos donde la apropiación de formas de lenguaje actual aparece sin cesar enriquecida y transformada. La cultura de la resistencia ha redefinido, en sus obras, la debatida cuestión del arte como lenguaje, tal como lo veremos en los ejemplos que siguen.

Pero antes de pasar a ellos, quiero subrayar la toma de posición política que subyace en el proyecto global. Decretar una voluntad de independencia cada vez más posible en la medida en que verificamos nuestra identidad, es un acto político. Insistiendo en ver la realidad latinoamericana a través de ese proyecto, es que se ha conseguido abatir, en parte, la penetración cultural de la década del 60, y restablecer una agresividad juvenil que coloca el arte actual en pie de guerra.

7. *Coherencia*

Para abordar críticamente el proyecto del arte de la resistencia, es preciso comprender su amplitud de registro y su coherencia. No son los artistas plásticos quienes establecen un camino exclusivo, ni tampoco los escritores o ensayistas por su lado, sino los tres al mismo tiempo. A cada situación de dicha cultura corresponde una respuesta paralela que parte de los tres sistemas expresivos. El que más altibajos ha sufrido es el ensayo, pero ha contado, en compensación, con hombres abarcadores y proféticos como Martí o Mariátegui, González Prada o el propio Octavio Paz, moviéndose las más de las veces entre intuiciones y propuestas asistemáticas sin excesivo rigor crítico, pero inventando también una forma de pensar más viva y medular que programática, más sensible que reflexiva; a lo que habría que agregar el *boom* de los estudios sociológicos y económicos sobre Latinoamérica en los últimos años, donde muchas veces se advierten verdaderas y fértiles aventuras del pensamiento, como en el caso de Darcy Ribeiro o el asimilado Gunder Franck.

En el plano creativo las coincidencias son constantes y tipificadoras. No están deducidas de paralelismos temáticos o de homologías simplistas: su relación depende de una misma manera de revolucionar la representación del mundo, o sea de operar, según las ideas marxistas, una revolución (significación que "presenta" y "produce", trabajo transformativo, no conformista).

En los colombianos Fernando Botero y García Márquez, por ejemplo, la revolución de la representación apunta, por vez primera, a una plena identificación de Colombia mediante la selección intencionada de algunos datos protuberantes. Ambos elaboran un modelo, que tiende a explicar un hecho y superar una contradicción: lo que aprendemos sobre Colombia a través de sus obras es una verdad fundada en el punto de vista de ambos, que convienen en desatender las apariencias y formas inmediatas de la vida nacional, para explorarlas por detrás de esa representación convencional y contruir otra apoyada en nuevas relaciones entre el hombre, el tiempo, el espacio y la peripecia. Todo lo que atañe al hombre y a su vida es profundamente alterado, buscando construir un nuevo prisma que muestre la realidad de manera diferente. En la construcción de ese nuevo modelo los dos proceden como realistas, tal cual es realista Swift bajo el análisis de Lukács, cuando éste escribe que la identidad de las cosas descritas por Swift, en contraste con la nueva dimensión, constituyen el fundamento de su profunda comicidad. Por un camino análogo al de Swift, tanto Botero como García Márquez actúan alterando arbitrariamente las dimensiones y las posibilidades de sus temas. Si Swift tuvo motivaciones sociales para actuar así, también las tienen Botero y García Márquez, cuyas obras ahondan en la sociedad colombiana, no simplemente en lo real inmediato. En las peripecias de *Cien años de soledad* o en los cuadros inflados y monstruosos de Botero, se construye un modelo de visión donde la sociedad colombiana se ve esencialmente reflejada.

En la cultura de la resistencia, la revolución de la representación no ha seguido nunca vías lingüísticas similares. Entre Wilfredo Lam, por ejemplo, y *El reino de este mundo,* de Carpentier, se advierte otro aire de familia, otro parentesco ligado con lo mágico, no en tanto que sospechoso término literario, sino como el derivado natural de la negritud, de una investigación de lenguaje que advierte que la relación mágica del hombre con el mundo reconduce a la metáfora en lugar del símbolo, para golpear la sensibilidad en la misma medida en que el símbolo apela al intelecto. En lo real maravilloso de Carpentier o en *La jungla* de Lam, no hay, pues, una utilización de lo exótico a la manera europea, o una búsqueda de campos más o menos irracionales, para imponer sobre ellos la racionalidad. A pesar de la formación europea de Carpentier y del origen chino de Lam, ambos actúan en perfecta consonancia y entero respeto hacia la tierra donde se sitúan. Estas actitudes provocan un dislocamiento del orden racional, un quiebro en la lógica del discurso, que tiende a transfigurar la realidad objetiva. El exceso es la norma. El violento dinamismo de Lam puede, en este terreno, apoyarse en *El mundo alucinante* de Reynaldo Arenas: Carpentier, Lam, Arenas, se encuentran en una vía que reconduce a los modos de ser cubanos, a las consecuencias lingüísticas y culturales de los cruces étnicos, al clima y la historia, a la economía del subdesarrollo y a la dependencia.

La cultura de la resistencia ha hecho más por aproximar a nuestra visión crítica los sistemas de análisis y comprensión tanto lingüísticos como estructurales, que todos los tratados europeos: si bien éstos afinan cada día nuestros elementos de juicio, la construcción de símbolos y metáforas, la tarea fáctica de elaboración del arte como lenguaje, están dados en las obras latinoamericanas.

De la misma manera que el uso de los modos metafóricos en Lam nos explica las formas de expresión de la raza negra y sus cosmovisiones sensibles, el uso de símbolos en el peruano Fernando de Szyszlo, utilizando la mediación simbólica de los poemarios incas, nos induce a revisar la relación perceptual del indígena y el mundo, así como su voluntad de moverse entre mitos y su capacidad de inventar vastas mitopoyesis. Esto nada tiene que ver con la visión folklórica del indio o del negro, ni mucho menos con la contingencia revanchista o demagógica que anima tantas obras indigenistas.

A veces el artista o el escritor de la cultura de la resistencia no persigue expresamente el lenguaje simbólico o metafórico, sino que actúa como transmisor de una realidad cuya riqueza, variedad y peculiaridad es demasiado atractiva para poder desprenderse de ella. Cuando Rulfo habla de los campesinos que son tema de sus ficciones, parece atrapado por ellos: ve la gente, oye a la gente: "no es que uno vaya allá con su grabadora a captar lo que dice esa gente"; si los mira fascinado, es para verificar "cómo crean la alegría y cómo sienten el dolor". "Imaginé el personaje, lo vi —dice refiriéndose a Pedro Páramo—, los dejé entrar a todos y después, que se esfumaran, que desaparecieran". Rulfo y García Márquez se defienden vehementemente de la imaginación que se les atribuye. "No invento nada —dice García Márquez— repito lo que oí a mi abuela". "Soy de chispa retardada —dice Rulfo— pero tengo el pálpito de que la ficción va a ganar, simplemente por más real". Hay que creerles. La situación de Pedro Páramo, por consiguiente, es muy similar a la de los cuadros atmosféricos de Tamayo. Ambos afirman que lo real aparece transfigurado por un aura, una claridad que rodea todas las cosas y altera tanto la sonoridad como la nitidez del mensaje semántico. Las voces de *Pedro Páramo* —que se llamaba *Los murmullos* en su primera versión—, se oyen tan distantes como se ven de nebulosas, lejanas, las figuras de Tamayo. "Tamayo ha descubierto la vieja fórmula de la consagración", dice Paz, otro consagrador. Se pierde el tacto de las cosas. Todo queda embalsamado en un aire onírico que, sin embargo, es tan patente e intenso como la propia realidad. No se trata de escamotearla sino de darla como es, envuelta y lejana, más posible que verificable.

Sumando unas y otras expresiones de la cultura de la resistencia en las áreas menos susceptibles de modernización refleja, encontramos un lugar general donde se emparentan, fuertemente vinculado con las relaciones de producción y con el subdesarrollo subsiguiente: reconocemos ahí sociedades de tipo mítico, o cuya aproximación a lo real es simpatética y perceptual, según la explicación de Cassirer, y también capaz de partir de premisas irracionales para llegar a una lectura simbólica a través de procesos lógicos.

Vivir en una sociedad mítica no lleva necesariamente, sin embargo, a crear mitos, sino a permear una determinada vivencia cultural que puede hacerse perceptible por muchas formas. Por ejemplo, ¿el arte de uno de los dibujantes mayores de América, José Luis Cuevas, no está acaso recortando una parcela de dolor y enfocándola en un discurso circular y recurrente como el del *Farabeuf* de Salvador Elizondo, sin que ninguno de los dos se interese por organizar ese material dramático *vis a vis* de un finalismo o una conclusión ética? ¿El itinerario de Elizondo, que adopta a ratos las descripciones pormenorizadas del objetalismo europeo, no se autodestruye en esa repetición irracional que prefiere, antes que avanzar, quedarse golpeando las puertas del misterio? ¿Y no ocurre esto porque, bajo su aparente desenfado, se enreda emocionalmente con pánicos cuyo sentido no logra desentrañar?

Pero también la cultura de la resistencia parte de grupos latinoamericanos que se sitúan lejos de la visión mítica y abrazan el progreso y el pragmatismo. Cuando las contradicciones dentro de tales grupos son demasiado flagrantes, como pasa en Caracas o San Juan de Puerto Rico, la cultura de la resistencia tiende a agravar dichas contradicciones, como serían los arcaísmos tan frecuentes en la plástica puertorriqueña, o la actividad exorcizadora de Mario Abreu en Caracas. Cuando una sociedad como la rioplatense queda calcada en la impersonalidad de la modernización refleja, la resistencia reviste la forma desafiante y rabiosa de individualismos a ultranza: enroscados sobre sí mismos, complacidos oscuramente en la derrota, inventores de la insatisfacción y la nostalgia que encarnan en protagonistas fugitivos, fracasados, mutilados. Dos grandes del sur, el escritor Juan Carlos Onetti y el pintor Hermenegildo Sábat, dan a la resistencia el tono porteño guasón y despectivo, y le añaden un tipo de movimiento que les es característico: una suerte de marcha atrás que ellos llamarían "estar a la retranca". Cuando la sociedad brasileña proclama el "milagro" desarrollista, el imaginario secreto de Marcelo Grasman obliga a recordar sobre qué tierras movedizas se apoyan las computadoras.

No hay ninguna razón para pensar que el arte de la resistencia, cuya cohesión, variedad y número aumenta año tras año, se hace a espaldas de la dependencia, sin tomar conciencia de ella. Por el contrario, es su primer producto, el más constante a lo largo de la escasa e invadida vida cultural del continente. Otra cosa es que, en algunos casos, las obras resultantes derivan directamente de la dependencia y del deseo de vencerla: mientras que a veces reflejan de modo involuntario las situaciones emergentes del subdesarrollo. Pero como en el trabajo artístico importan más las obras concretas que las intenciones, resulta que de ambos supuestos salen obras que comunican con igual importancia la representación revolucionaria. Es revolucionaria, en cuanto corta tajantemente con la estética europea y con la norteamericana, pero también con la docilidad y la anemia internas.

Los enemigos de la autonomía cultural están afuera y adentro de nuestra sociedad: si la penetración viene de afuera, la satelización se lleva a cabo dentro de Latinoamérica, a veces con un extraño celo que sólo puede explicarse recordando que los sirvientes son más acuciosos que los mismos amos.

Esta falta de homogeneidad dificulta la posibilidad de ver la cultura de la resistencia como un cuerpo, y su acción creativa como un proyecto global paralelo al cuerpo social, pero específicamente solitario y profético. Quién sabe durante cuánto tiempo, aceptando caso por caso, seguirán estimándose mal y erradamente estas obras, al juzgarlas como decisiones personales y no como partes iluminadas y activas de la cultura de la resistencia.

Marta Traba

SISTEMA LITERARIO Y SISTEMA SOCIAL EN HISPANOAMERICA

1. Crítica de la historiografía literaria

CUANDO SUPERAMOS la compartimentación nacional de la literatura hispanoamericana y accedemos a una eventual unidad superior, organizamos esa disciplina y materia de conocimiento sobre dos principios metodológicos rectores, ambos de naturaleza reductiva: 1º una reconversión de la plural vastedad de los materiales literarios al campo exclusivo de la *escritura culta* que fue fijado por la estética de las élites dirigentes del siglo XIX, aunque este principio admitió ampliaciones tardías que delataron modificaciones tanto estéticas como sociales de los criterios valorativos;[1] 2º una articulación evolutiva y gradual que parte, generalmente, de fines del XVIII y que, aplicada a ese previo recorte dentro de las letras, nos provee de una continuidad aparencial. Ella puede fundamentarse en la teoría de los géneros (Alberto Zum Felde), en las corrientes estéticas globales (Pedro Henríquez Ureña) o en la sucesión generacional (Enrique Anderson Imbert), las cuales tres revelan la utilización común de la concepción historicista decimonónica, dependiente a su vez de la idea de evolución progresiva e indefinida, con lo cual estas organizaciones de la literatura se adecúan, como sombras imprecisas, al modelo lineal y gradualista de las historias literarias europeas del que partieron.

La más visible consecuencia de estas operaciones es habernos dotado de una historia literaria lineal, progresiva y sin espesor. Ella se estructura como un continuo lineal porque las rupturas han sido disimuladas y racionalizadas por los causalismos literarios (derivaciones, fuentes, influencias); ese continuo circular por un cauce único y rígido, representado por la concepción clasista de la escritura culta a la que se dota de una progresividad de tipo evolutivo que en los hechos no es sino la consecuencia de haber sumado las sucesivas y obligadas aperturas de los criterios valorativos (hijos de los cambios sociales) como etapas de un proyecto cultural, trasponiendo por lo tanto a América las filosofías de la historia que desde Hegel a Comte desarrolló el pensamiento europeo. Además es visible en ellas un intento de crear estructuras paralelas a las que organizan las literaturas europeas: para eso se apoyan en la objetiva comprobación de las influencias externas, las que remachan por el trasiego de idénticas denominaciones y de esas articulaciones similares que conforman una línea evolutiva, se la reconozca o no como inmanente: neoclasicismo, romanticismo, realismo, simbolismo. Cuando con posterioridad a los primeros diseños historiográficos (del tipo de Calixto Oyuela) han debido recogerse escuelas literarias que no encajaban en ese esquema (es el caso de las llamadas "literaturas gauchescas" en el sur del continente) los historiadores se vieron forzados a crear compartimientos nuevos y estancos, que no podían encajar en el orden metodológico instituido, sumándoselo a él mediante criterios heterogéneos como fueron la lengua, el tema, el género, etc.

Es obvio el origen europeo de este repertorio metodológico y evidente su trasvasamiento —a veces notoriamente mecánico— que, sin embargo, en su momento configuró un real progreso de la crítica literaria, aunque distorsionó la aprehensión de la cultura literaria del continente. Es obvio también que mientras no podamos desprender de la cultura y la realidad hispanoamericana instrumentos adecuados de análisis y valoración, deberemos seguir manejando metodologías extranjeras que han alcanzado un grado de elaboración mayor que las nuestras. Se lo puede observar en la utilización más reciente de las hermenéuticas derivadas del marxismo o de la sociología del conocimiento o en las provenientes del *new criticism* y del estructuralismo francés, significando todas una modernización del conocimiento literario junto a la comprobación de una dependencia que debe ser considerada. Más que un mero rechazo de sus aportaciones, nuestro problema operativo radica en plantearnos como punto de mira el desarrollo de métodos adecuados a nuestra materia literaria utilizando las proposiciones extranjeras como lúcida conciencia de su operatividad a prueba, a saber, como instrumentos que se deben corroborar sólo en la medida en que nos acerquen a una comprensión más amplia y verdadera de las letras hispanoamericanas. Eso se evidencia cuando tales instrumentos nos permiten revisar las tradiciones ya consolidadas descubriéndolas como discursos que no trasuntan íntegramente el proceso cultural. Cumplirían una función liberadora y aproximarían el redescubrimiento teórico de nosotros mismos.

2. *Totalidad literaria, rupturas y secuencias*

La primera tarea crítica de esta revisión generalizada, consistiría en recuperar (en resumergirnos en) la totalidad creadora de la cultura literaria hispanoamericana, sin apelar a las rejillas establecidas, tanto vale decir, a los criterios estéticos que hemos heredado sin someterlos a análisis crítico, y por lo tanto rompiendo las continuidades ya forjadas y las unidades que dentro de ellas autorizan articulaciones evolutivas. En cierto modo operar con la virginidad de la mirada (donde no obstante está supuesta la situación del observador) que se conquista cuando se hace frente al fluir de la realidad, lo que en este caso llamaríamos el fluir de la producción literaria, vista con una terca conciencia de libertad. En cierto modo consiste en situarse dentro del fluir de un discurso global, abarcador, para detectar dentro de él la naturaleza discontinua del acontecimiento, su insólita emergencia; romper las conexiones pre-existentes para poder manejarnos desde un estrato amorfo a la búsqueda de nuevas articulaciones que nos repongan una visión más coherente y a la vez más identificada con la creación literaria.[2]

Tal retorno al magma es necesariamente temporario, pero beneficioso para rehacer un orden. Trabajando en una cultura cuyo signo es el de la dependencia, que le viene de la imposición colonial originaria reanudada posteriormente por obra de nuevas sujeciones imperiales, el esfuerzo de reordenamiento se situará lejos del ya tradicional que procuraba reencontrar en América los períodos artísticos o epistemológicos europeos y en cambio deberá procurar el descubrimiento de las *secuencias literarias* que sean capaces de ofrecer el mayor margen de autonomía dentro del continuo protoplasmático de los materiales literarios indiferenciados. Es decir, que se operarán dos tareas simultáneas: descubrir las rupturas que son las que permiten delimitar secuencias y distinguir entre ellas de acuerdo a su diversa posición con respecto a los modelos a que se sujetan.

Esas *secuencias literarias* corresponden a períodos históricos pero no los agotan. En cada uno de ellos (determinarlos es hacer la misma lectura de la ruptura y de la coherencia de los segmentos separados, nada más que en el vasto campo de la historia y no en el restricto de la palabra en función literaria) encontraremos superpuestas diversas secuencias literarias, como verdaderos estratos artísticos que confieren al período espesor y lo dotan de una específica dinámica literaria que duplica la dinámica social propia de una determinada estratificación social. Son proposiciones literarias diferentes y autónomas, a veces enfrentadas o simplemente contiguas, cuyo reconocimiento desbarata el sistema plano y lineal de las historias literarias recibidas.

La determinación de las secuencias (discontinuas, superpuestas y a veces desfasadas dentro de un mismo período histórico) se deberá alcanzar desde el ángulo restricto de la especificidad literaria, que constituye la petición de principio del campo operativo propuesto, o sea que se deberá llegar a delimitarlas y definirlas atendiendo exclusivamente a sus manifestaciones artísticas y no a razones extraliterarias (autores, clases sociales, ubicaciones geográficas, etc.). Pero como mal podrían desglosarse las secuencias literarias del universo cultural al que pertenecen sin condenarlas a una existencia incoherente, sólo pueden hallar su significación absoluta al coordinarse con otras secuencias, éstas culturales, no literarias, a través de distintos grados de mediación. Las nuevas secuencias serán de una naturaleza no discursiva, de tipo técnico, económico, social, político, etc., pero forzosamente deberán encontrarse engranadas con las secuencias literarias en razón de la interdependencia estructural de un conjunto, por lo cual la consideración global del lugar que ocupan las secuencias literarias en la totalidad nos conducirá a un planteo de las relaciones de literatura y sociedad.

Antes de considerar ese punto, agreguemos que las secuencias literarias que encontramos superpuestas en cualquier período de la historia, son varias: es difícil que encontremos menos de cuatro estratificaciones desde que comienza el desarrollo urbano en el último tercio del XIX y si avanzamos en el tiempo detectaremos una complejidad mayor. Esas secuencias no sólo se fundan en estéticas (explícitas o tácitas) que son bien diferenciadas y cada una de ella coherente, sino que también manifiestan preferencias lingüísticas y de géneros artísticos bien nítidas. Registran además evoluciones internas que contribuyen a reforzar su autonomía pero al mismo tiempo mantienen entre ellas una relación que las más de las veces es de oposición y se trasunta en las polémicas literarias.

La convivencia de distintas secuencias superpuestas puede registrarse en cualquier otra sociedad, distinta a la hispanoamericana, por lo cual debe operarse, cuando el estudio se hace sobre ésta, un ajuste para discernir su funcionamiento dentro de las características específicas de la sociabilidad hispanoamericana, en lo cual no sólo contarán los rasgos de una dinámica interna sino el estado general de dependencia en que se forma y del cual emerge dificultosamente a lo largo de siglos. Por ello las vinculaciones entre las secuencias literarias y el resto de las secuencias sociales, implica revisar previamente los conceptos establecidos sobre estas últimas.

3. *Singularidad del sistema social hispanoamericano*

La sociedad hispanoamericana comporta una estratificación y una dinámica enteramente distintas de las sociedades europeas de los últimos ciento cincuenta años y no le son aplicables sin graves deformaciones los esquemas teóricos que interpretan a las últimas. Además, la literatura hispanoamericana, como su sociedad, presupone siempre la existencia previa de la europea, mientras que ésta se ha desarrollado, al margen de las normales influencias, sobre carriles propios, expandiéndose por el universo respondiendo a sus necesidades intrínsecas y no a las de las zonas que fue encontrando en su camino.

Respecto al primer punto hay que reconocer que no existen muchos intentos de descripción autónoma de la estratificación social latinoamericana. Y aún menos que cumplan con dos principios que estimamos obligados: no limitarse a trasladar la repartición de clases elaboradas sobre los modelos de la Europa del XIX a partir de la concepción de Marx, con algunas correcciones en la distribución de las categorías, fracciones y capas dentro de los sectores burgueses y no limitarse a la descripción contemporánea de su estructura, examinando además su desarrollo desde el período colonial.[3]

Todo análisis de literatura y sociedad parecería proponer una doble y simultánea lectura: la de la literatura y la de la sociedad en que ella se produce. De ahí que, aun operada la corrección inicial sobre el concepto de literatura hispanoamericana, para que en él ingresen todas las producciones, escritas u orales, que utilicen la palabra para construcciones imaginarias de tipo simbólico (lo que configura un enorme material donde se apelmazan junto a *plaquettes* de poesía y alta ensayística filosófica, folletines, canciones tradicionales, representaciones semiteatrales, oraciones y repertorios ceremoniales, pliegos de cordel y el conjunto monumental de textos de la *mezzomúsica,* de la radio y la televisión) y aún operada al mismo tiempo la corrección que trate de restituirnos la composición real de la sociedad hispanoamericana que ha creado aquella literatura, siguen planteándosenos problemas metodológicos respecto a esa lectura paralela por tratarse de materias heterogéneas (una literatura, una sociedad) que no son asimilables ni comparables.

La lectura literaria es siempre, básicamente, una lectura textual, aun en aquellos casos en que el texto va acompañado de sistemas expresivos paralelos, como son la música o la representación escénica, que resultan amplificadores de los sistemas de entonación suprasegmentales de cualquier escritura. La lectura de la sociedad, en cambio, no se presenta como un texto, salvo en la mediación, que es ya hija de una hermenéutica, de la historia o la sociología. Como el punto de partida que asumimos es el de la literatura, es desde sus condiciones textuales que deben fijarse las condiciones de adecuación con la sociedad.

4. *Tres discursos: literario, lingüístico, "imaginario social"*

La correlación del discurso literario puede intentarse con otros dos discursos paralelos, de naturaleza emparentable, porque ambos pertenecen a las operaciones simbólicas de la cultura.

El primero está representado por la lengua, cuyo funcionamiento constituye un punto esencial para la determinación de las superposiciones de secuencias literarias dentro de un mismo período histórico, pues éstas corresponden a distintos ejercicios de apropiación de una lengua que en el continente se ofreció, por lo común, como una imposición externa, visto que la lengua misma y no sólo los valores culturales, fueron vistos como una importación, incluso por los mismos descendientes de los conquistadores.[4] Por eso el discurso lingüístico no se abordará solamente en el nivel sistemático que caracteriza los estudios actuales sino sobre todo en cuanto *habla,* lo que podrá llevarnos a descender al *plano dialectal* que dentro de América latina registra alta capacidad de fecundación de las creaciones artísticas.

Contrariamente a lo que parece desprenderse de las historias literarias hispanoamericanas, los comportamientos lingüísticos en un mismo punto de la historia pueden ser diametralmente distintos, lo que apunta a estratos contiguos y superpuestos. En los mismos años en que Leopoldo Lugones escribe *Los crepúsculos del jardín,* presenciamos en el mismo Buenos Aires, desde el escenario del Teatro Apolo, la apoteosis del sainete que conduce el equipo de los Podestá. El *Ariel* de Rodó es contemporáneo estricto de *M'hijo el dotor* de Florencio Sánchez. Si esto ocurre en un área cultural nada hostil a la lengua importada por tratarse de un típico pueblo trasplantado, se podrá calcular las dificultades propias de las áreas indígenas o africanas, las que además tuvieron una alfabetización reciente y una centralización educativa tardía, lo que se traduce en mayor dificultad para la identificación y unificación social del grupo a través del funcionamiento de la lengua. Por eso el "habla" asumida por el discurso literario en un determinado texto sirve para la estructuración artística de éste y simultáneamente funciona como elemento indicial que nos remite a un sector social (y no a toda la sociedad) que a través de ella se identifica a sí mismo, reconociéndose en tanto comunidad orgánica. En el nivel lexical, en el fonético, en el semántico y aun en el sintáctico, cada una de las "hablas" superpuestas en una misma región operan como unidades de significación que asocian todos sus aspectos y dotan al hablante de identidad reconocida.

Si en el cotejo de un mismo momento de la poesía culta de Europa y de América (por ejemplo, la de Verlaine y la de Darío, para referirnos a estrictas equivalencias) podemos reconocer siempre en el escritor hispanoamericano una mayor dosis de *"oralidad"* poética, en oposición al concepto de *"escritura"* ya vigente en la sociedad europea desarrollada (ejemplo máximo: Mallarmé), es posible inferir cuánto más amplia será ella si salimos de la restricta concepción culta y consultamos los textos de las "habaneras" o de los "tangos", de las innumerables letras de las músicas que se cantaban hacia el 900. Lo que en otro nivel puede traducirse por la asombrosa capacidad desarrollada por Manuel González Prada para distinguir en el funcionamiento de la lengua poética hispanoamericana una *rítmica* en oposición a la *métrica* que ya había conquistado sus posiciones en el funcionamiento de la poesía francesa de la misma época. De hecho González Prada no sólo reconstruyó una tradición, cuya inicial intuición perteneciera a otro hispanoamericano, Andrés Bello, sino que reconoció la idiosincrasia particular de la lengua poética vigente en el continente. De un modo u otro, al mismo punto llegaron los modernistas y ello fue una de las razones que les permitió fundar (más allá de todas las apelaciones al bazar exótico del momento) la moderna poesía hispanoamericana.

El otro discurso emparentable con el literario, que éste asume y del cual sin embargo también puede distinguirse como en el caso del discurso lingüístico, es el que tiene que ver con la sociedad. En su fermental estudio, Tynianov [5] se planteó el problema de la correlación de la que él llamaba serie literaria con las series sociales y sólo consideró eso viable "a través de la actividad lingüística" a la que, sin embargo, atribuía no más de una moderada influencia genética. Su problema consistía en descubrir un elemento común con la serie literaria, que no podía encontrar sino en la función verbal, para así distinguirlo de las concretas articulaciones sociales, políticas o económicas que viven los pueblos y que son obviamente de distinta naturaleza (no discursiva) que el texto literario.

Como creo que la autonomía del discurso lingüístico es manifiesta, más allá de su plural utilización para todas las disciplinas culturales que manejan la palabra, es preferible reconocer la autonomía de dos discursos paralelos al literario; este lingüístico que vimos y otro al que llamaría del "imaginario social" y que es asumido por la literatura en forma similar a la asunción que ella hace del discurso lingüístico: valor estructurante y a la vez indicial del grupo o clase que en ese "imaginario social" se ve representado.

La literatura genera un discurso sobre el mundo, pero ese discurso no pasa a integrar el mundo sino la cultura de la sociedad, siendo una parte de la vasta malla simbólica mediante la cual los hombres conocen y operan sobre el mundo. En forma similar, una clase o una capa social, además de vivir concretamente su situación, sus intereses, sus demandas y sus problemas, a partir de todo ello genera una construcción de tipo ideológico que, siguiendo a Lucien Goldmann podemos designar como una cosmovisión. Lo peculiar de ella es que obedece a un proceso colectivo, grupal, y no meramente individual, destinado a obtener un instrumento simbólico con el cual actuar dentro de la historia, imponer un conjunto de valores y establecer una serie de intereses comunes. Tal cosmovisión es ya un discurso coherente, y no meramente las bases sociales, políticas o económicas, que le dan nacimiento. Ese discurso está signado por una inclinación denotativa más pronunciada que las construcciones literarias y por eso mantiene vinculación concreta con los enfoques sociológicos o políticos.

Es una parte de ese vasto estrato discursivo que se articula al mismo tiempo que las creaciones artísticas pero que puede reconocerse como autónomo, y que está integrado por el pensamiento de los líderes políticos, las alegorías populares, los preceptos religiosos, las proposiciones éticas, etc., etc. La teoría de las ideologías puede aplicarse a este "imaginario social" en un esfuerzo por reducirlo a sus bases e intereses nudos, pero del mismo modo que la aplicación de tal teoría a la literatura para develar sus tendencias ocultas no resuelve la obra de arte,[6] tampoco en este caso nos permitirá otra cosa que reconocer las contradicciones y por lo tanto evidenciar más nítidamente la función imaginadora que ha logrado trasmutar los datos básicos en una cosmovisión. Contribuirá simplemente a deslindar mejor los rasgos privativos del "imaginario" de un determinado conjunto social.

Tanto el discurso lingüístico como el discurso del "imaginario social", son apreciables objetiva y autónomamente en el seno de la sociedad, consolidados incluso en documentos probatorios. Pero a ambos los volvemos a recuperar en el texto literario, en una síntesis que habiéndolos devorado los devuelve a la sociedad como una totalidad inescindible. A partir de ese producto podríamos intentar otra operación: determinar en qué medida ese texto reinterpreta la demanda del grupo social, lo que cae en la órbita de una sociología del público.

Los problemas que plantea esta repartición tripartita, provienen de la fijación de los sistemas de equivalencia entre los tres discursos. En lo que tiene que ver con el literario, reconocemos que tiende a reconvertir el discurso denotativo, de dominante intención ideológica, en otro connotativo, de específica virtualidad artística. ¿Cómo se produce esa conversión? ¿Y qué papel juega allí la lengua? Cuando Cintio Vitier detecta en los *Versos sencillos* de Martí la traducción de una ideología anti-imperialista en un canto "entonado en la inocencia de la naturaleza, único ámbito intocado por la ambición, única realidad mediadora entre las dos Américas"[7] está manejando un sistema de equivalencias subrepticio, que no ha sido fundado y esclarecido. Aparentemente sólo a través de una teoría ampliada de los símbolos, en la fructífera línea inaugurada por Cassirer[8] pero también contando con el aporte que las diversas descendencias del psicoanálisis han elaborado respecto a las transposiciones que se operan entre diversos campos del psiquismo, podría fundamentarse un sistema de equivalencias y de cambios cualitativos que permitieran la vinculación estrecha entre los diversos discursos paralelos.

La preocupación, siempre central en el análisis literario, de preservar la autonomía y especificidad de la literatura, exige cautela respecto a todo desmontaje del texto de tipo genético que se limitaría a trasladar los significados a otro texto, frecuentemente no formulado y sólo inferido a partir del literario. La propiedad fundamental de la literatura, de "ser habitada por una fuerza originariamente formadora y no simplemente reproductora" de la cual la imagen, por su imposibilidad de reducirse a las articulaciones o materiales componentes, sería el modelo, impone el reconocimiento de los discursos paralelos y su independencia, aunque sea posible detectar entre ellos una tensa red de interacciones mutuas.

5. *Datación, duración y superposición de secuencias literarias*

Las secuencias literarias autónomas, dentro del continuo literario hispanoamericano, se podrán fijar atendiendo a esa irrupción del *acontecimiento* artístico que determina una ruptura. Con lo cual podríamos aceptar el criterio de disrupción que Octavio Paz entiende específico de las letras del continente,[9] siempre y cuando pudiéramos liberarlo de su armonización, más presuntiva que real, con las tradiciones y al que habría que vincular al comportamiento dependiente de la cultura hispanoamericana, versión superestructural de su dependencia económica.

Estas discontinuidades muestran diferentes tonalidades. La elaboración artística (digamos la coherencia y autonomía de la obra que deparan) se muestra diferente según los tiempos y nos permite reconocer la distancia que existe entre la irrupción que designamos romántica en el caso de Echeverría, y la que tardíamente denominaremos modernista en el *Ismaelillo* de Martí, diferencias que atribuiremos a la distinta adecuación entre sí de los discursos paralelos antes definidos, más exactamente a la distinta plasmación que consiguen sobre la realidad social comunitaria a que responden. En *La cautiva* reconocemos una lengua escrita rígida y matrices convencionales, mientras que en los versos martianos encontramos una lengua sensualmente gozada y una libertad rítmica que testimonia la apropiación plena del comportamiento lingüístico de un grupo social amplio.

Más imprecisa es la determinación del período en que rige una secuencia literaria, por cuanto, aun al margen de sus anticipaciones, incluye modulaciones que se producen dentro de la unidad generalizada de su funcionamiento artístico, siendo además capaz de prolongaciones que habitualmente llamamos epigonales y que pueden darnos medidas temporales sorprendentemente extensas. Para tomar un ejemplo, correspondiente al primer movimiento artístico de tipo culto que alcanza denominación original, el *modernismo,* críticos como Iván Schulman o Manuel Pedro González lo inauguran con la obra renovadora martiana de 1882 y le confieren una prolongada vida hasta aproximadamente 1930, cosa que puede atribuirse a que examinan exclusivamente el movimiento y rastrean sus últimas consecuencias. Si se procediera a una apertura a la totalidad literaria, debería reconocerse que las experiencias "futuristas" de Vicente Huidobro o los poemas ideográficos de José Juan Tablada, marcan claramente una irrupción diferenciadora dentro de la misma secuencia superior.

Estas secuencias pueden asociarse a los estilos o a las corrientes estéticas, como prefería decir Pedro Henríquez Ureña, pero de ellos pueden distinguirse, no sólo por los recursos artísticos específicos que ponen en juego sino por la unidad que les otorga el manejo del "imaginario social" del cual son partícipes sus integrantes, y que se revela en las oposiciones internas al período.

Las secuencias conviven con otras que les son heterogéneas y es esta superposición de estratos artísticos, la que confiere espesor a cualquier época histórica y nos permite avizorarla como una representación de la normal estratificación social. Así el *modernismo* convive con el desarrollo del *criollismo* y en los mismos períodos de expansión de la obra de Darío, Lugones, Tablada, presenciamos la irrupción de Manuel Vicente Romerogarcía, Luis Manuel Urbaneja Achelpohl, Tomás de Carrasquilla, José Alvarez, que en distintos puntos del continente construyen una temática articulada, apelan a un lenguaje más regionalizado que el del modernismo y desarrollan un "imaginario social" que a veces está en los antípodas del modernista, dando lugar a enfrentamientos donde las doctrinas estéticas aducidas se entreveran con requisitorias ideológicas más precisas. Pero si rastreamos en zonas menos atendidas por las historias literarias (poemas para canto, manifestaciones teatrales espontáneas) descubriremos que las formas tradicionales campesinas que designamos como folklóricas, conviven con un nivel diferente de ellas en que se produce una reestructuración semiurbanizada de sus formas, generando una secuencia que no puede asimilarse a ninguna otra del período.

Por todo ello, los problemas de denominación y de determinación de los contenidos estéticos de ese período que va de 1880 a 1910 aproximadamente, se podrían obviar si aceptamos el espesor literario de cada época, si reconocemos que hay en esos distintos estratos una dinámica transformadora peculiar como hay también una relación (aproximación o rechazo) entre los diversos estratos. El conjunto íntegro de las diversas secuencias estratificadas oscila entre dos polos orientadores que marcan por un lado la máxima adecuación a las pulsiones externas, procedentes de las metrópolis imperiales, y por el otro extremo la máxima retracción, que apela al localismo y a los repositorios tradicionales de la cultura.

Este diseño del funcionamiento literario, que creo nos permitiría recuperar una imagen real, compleja y variada de la dinámica que le es propia en todo momento de la historia, también nos permitiría, por la utilización del discurso pertinente del "imaginario social", transitar a un entendimiento de la estructura social de ese momento, de sus diversas clases y grupos, la aparición de diferentes capas operativas, sus proposiciones que racionalizan sus intereses, su cosmovisión. Y encontraríamos que la imagen de la sociedad que este funcionamiento de la literatura nos allega, reencontraría una imagen similar a la que sociólogos y antropólogos llegan a establecer partiendo del análisis de las variables económicas y políticas que conforman la estructura social y determinan la función de las clases.

6. *Las secuencias literarias en la sociedad dependiente*

Parece imposible no ver, después de las iniciales intuiciones de Luis Alberto Sánchez,[10] que el modernismo se inserta en lo que Halperín Donghi llamará el pacto neocolonial, que para él se abre hacia 1880 y entra en decidida crisis hacia 1930. Pero en la misma medida en que ese pacto introduce una modificación de la estratificación social hispanoamericana y en la misma medida en que comporta el desarrollo de esas modificaciones haciéndolas atravesar diversos períodos de movilidad dentro de la pirámide social, parece imposible no ver los avatares que podemos seguir en la estética modernista como diversos pasos paralelos que siguen estrechamente los que recorre una clase social. Con la ventaja, para la literatura, de una libertad operativa que le permite detectar el cambio social mucho antes de que éste cuaje en los órdenes del poder, desplegando así una cosmovisión estética que incluso puede ser, inicialmente, rechazada por los mismos que han de resultar representados por ella. Esta libertad no debe entenderse como un rasgo esencial del escritor, sino como hija de la situación que le cabe en el período posterior a la Independencia: surge con una cultura que comienza a ser determinada por las reglas del liberalismo y las oportunidades del mercado, coordenadas que no irán sino fortaleciéndose a lo largo de las décadas. Sin contar que el escritor, por su tarea específica, dispone de un margen cultural más elevado que el del grupo social al que se asocia, lo que le permite encontrar la formulación estética que mejor expresa el "imaginario social", incluso cuando éste todavía no ha alcanzado a articularse claramente en un discurso coherente y lleva una vida latente.

Así ocurrió que el modernismo padeció de dos tipos diferentes de enjuiciamientos negativos. El primero correspondió a sus inicios, entre 1882 y 1900 y no sólo fue atacado por los dómines de los estilos tradicionales, sino también por los portavoces de la nueva burguesía urbana ascendente, la cual venía encarando su afiliación a las formas literarias recibidas, todavía romántico-realistas. Muy lentamente, a lo largo de su ascensión al poder, habrán de aceptar la nueva estética, pero recién cuando deban enfrentar las demandas de una baja clase media que codicia el poder, harán plenamente suyo ese aristocratismo modernista que comenzó por ser una requisitoria contra el filisteísmo burgués. Es la época en que Rubén Darío celebra al general Mitre y escribe la *Oda a la Argentina,* y en que Salvador Díaz Miró sostiene al general Huertas en México. Para esa fecha, el modernismo está consolidado sobre las estructuras del poder, lo que le permitirá prolongar su vida merced a los poderes de la clase dominante, aunque degradándose progresivamente, tornándose anacrónico y obsoleto. A este período corresponde la segunda serie de enjuiciamientos críticos negativistas que se le formulan; ellos nacen de las operaciones culturales de un nuevo grupo social ascendente y de una nueva secuencia literaria a la cual le debemos, entre otras cosas, la fundación del regionalismo narrativo en América Hispana. La secuencia modernista para ese entonces ya habría cumplido los tres momentos más notorios de la evolución de una corriente estética (ascensión, apogeo y caída), pero también los de una clase social.

Aunque los conceptos de cambio social y de movilidad social pudieran insertarse en una estricta sociología funcionalista, su utilización es objeto de modificaciones considerables al conjugarse con las características de una cultura dependiente donde tal condición no se ofrece como una simple situación estática (mera aceptación de las pautas coloniales) sino dinámica, moviéndose entre la recepción de normas y su frontal rechazo a lo largo de un período extenso en que se cumplen parciales modificaciones estructurales. Si la decadencia del patriarcado decimonónico reemplazado por el "rey burgués" es un asunto recurrente de la literatura modernista, asunto cuya formulación artística requirió una mutación del lenguaje, de la musicalidad, del léxico, de las formas del imaginario, simultáneamente encontramos en ese entonces una abundante literatura "libertaria" que incluye a escritores como Carlos Pezoa Velis, Almafuerte o Emilio Frugoni y Angel Falco en los países del cono sur (Chile, Argentina, Uruguay, respectivamente), la cual maneja un asunto y una formulación artística opuesta a la modernista, aunque fatal y secretamente contaminada por ésta.

No en balde toda cultura postula estratos dominantes y estratos dominados, proveniendo de los primeros las pautas que normativizan a la sociedad de modo que su acción rectora puede percibirse, en diversos grados de aceptación, entre los estratos inferiores, aunque con rasgos curiosos que revelan que no se trata de una simple aceptación sino de una elaboración transformadora, por lo mismo opositora. En los estratos inferiores se reciben las normas y se las incorpora a un esfuerzo dirigido a quebrar la unidad cultural que procede del estrato superior para poder entonces desglosar los recursos artísticos, llamados simplistamente "formales", de los contenidos a los que se busca sustituir en una operación que depara por lo común formulaciones híbridas y contradictorias. Así, es fácil percibir, en el seno de los costumbristas y criollistas que configuran una de las secuencias literarias de tipo dependiente dentro del período novecentista aludido (1880-1910), la apropiación de fórmulas estéticas que han sido visiblemente extraídas de la secuencia modernista que fue la dominante de la época y que son aplicadas como meras "formas" a distintos "contenidos", creando extrañas contradicciones dentro de la organicidad del discurso. Aun en un estrato más bajo, el que corresponde a la continuidad epigonal de la llamada literatura gauchesca, como ocurrió con José Alonso y Trelles, el autor de *Paja brava,* podemos encontrar la utilización de esos mismos recursos pertenecientes a las normas rectoras de la sociedad en materia literaria aplicados a materias próximas a los niveles folklóricos.

La explicación de esta dinámica interna de las secuencias literarias, responde a la situación global de la sociedad y, por ende, de la totalidad literaria, respecto a los centros imperiales externos. En la medida en que las clases superiores proceden a su modernización, ésta se transfunde como norma, a través de la pirámide social, generando parciales aceptaciones, parciales rechazos, que delatan las necesidades internas de otros estratos en su afán de supervivencia y de progreso. Aunque también debe consignarse que a cierta altura de la pirámide literaria, encontramos secuencias que son sometidas a procesos propios de modernización, o sea a una educación que no procede de la cultura de las *élites* del poder sino que les viene directamente de fuentes extranjeras: es el caso, para la literatura libertaria antes mencionada, de la contribución del anarquismo finisecular, —su ideología, sus autores—, todos procedentes de Europa.

7. *Factor tiempo, factor realidad*

Las variadas maneras de ejercerse la dependencia cultural en el campo de la literatura[11] admiten diversas manifestaciones según sean las secuencias literarias, su situación y el momento de su evolución en que se encuentren. Lo que obliga a manejar el factor tiempo y el factor realidad como coordenadas del polígono de fuerzas.

En primer término, no parece posible convalidar, atendiendo a las categorías artísticas, la tesis tantas veces reiterada que rechaza de plano las obras que integran las secuencias literarias dominantes, aduciendo que ellas son las que se sitúan cerca del funcionamiento de las *élites* dirigentes que, a su vez, son las que sirven a la mediación de los intereses imperiales. Sin la obra de Darío no existiría la, por lo menos, parcial autonomía de la poesía hispanoamericana y ella marca, respecto a la poesía culta anterior, un salto cualitativo notorio, una discontinuidad que instaura la modernidad literaria del continente. Ocurre aquí que, a pesar de la proclamada afirmación dariana de que su éxito lo debió al "galicismo mental", ya la crítica más autorizada (Federico de Onís) se encargó de restablecer la multiplicidad de sus fuentes y para nosotros es evidente la nota original de su arte, donde se asiste a una apropiación de la cultura que es una recreación de una historia universal, desde el ángulo que sólo podía poseer un hombre hispanoamericano, con sus virtudes intrínsecas y sus deformaciones previsibles. Tanto vale reconocer la pluralidad de aportaciones que cumple todo artista y en particular la universalidad de su contribución más específica que es la que en definitiva vence y se desprende, se libera, de las restringidas formulaciones ideológicas que la acompañan.

En segundo término, las clases dominantes, al difundir una cultura foránea, cumplen una tarea complementaria de aquella central que consiste en reestructurar la propia sociedad al servicio de un proyecto económico, con lo cual confieren realidad progresiva a una nueva estructura de la sociedad, buena o mala. Rearticulan la estratificación en su beneficio, promueven el desarrollo necesario a sus fines, modelan parcialmente el conjunto social. Eso fija una vinculación curiosa con aquellas secuencias literarias dominantes, las que resultan emparentadas a fuerzas reales y operantes en una transformación, con lo cual su función no es meramente la de reflejar, servilmente, una cultura importada, sino la de traducir una nueva realidad interna, una cultura dependiente que se forja dentro de lo nacional, que pacta en distintos grados con algunas tradiciones y que, sobre todo, busca incrustarse en la realidad. El grado de eficacia que se derive de este proceso tendrá su correlato en el sesgo de autenticidad de la creación de la secuencia literaria emparentada.

Puede observarse que en el otro extremo del espesor de secuencias literarias encontramos que, disponiendo de escasos recursos intelectuales, los creadores deben hacer una construcción, que es de oposición, respondiendo a las bruscas modificaciones que han sido decretadas desde lo alto de la pirámide social, lo que explica la frecuente apelación que entonces deben hacer a las remanencias folklóricas, que son el único material a su alcance, como ocurrió en el caso del *Martín Fierro* de José Hernández. En cuanto a los estratos intermedios, apelan con frecuencia a la contribución de un "imaginario social", como un discurso ideológico explícito, que tanto responde a su situación como es extraído de una lección externa: es el caso de la literatura panfletaria de los grupos ascendentes de la baja clase media.

El factor tiempo y el factor adecuación a la realidad se ejercen a lo largo del desarrollo de las diversas secuencias. En la medida en que sean capaces de interpretar cabalmente el proceso cultural, los productos que presenten ostentarán ese acento de autenticidad y esa rotundidad que hablan de una armonización eficaz de los diversos discursos paralelos y de una inserción eficaz en las demandas del grupo social.

Este diseño de una estructura literaria debe ser objeto de desarrollos, elaboraciones y estudios que hagan de él algo más que una hipótesis de trabajo. Con ello se busca contribuir a una aproximación mayor al funcionamiento de la literatura hispanoamericana, que la torne críticamente inteligible.

Angel Rama

NOTAS:

1. Dentro del clima nacionalista que rodeó la celebración del Centenario de la Independencia, Ricardo Rojas culminó el proceso de reivindicación estética de la poesía gauchesca, confiriéndole uno de los volúmenes de su *Historia de la literatura argentina* (1916). Una operación similar vienen llevando a cabo los escritores desde 1960 para dignificar a los letristas de· la *mezzomúsica* en toda América: Gabriel Zaid en su *Omnibus de poesía mexicana* (México, Siglo XXI, 1971) ha intentado reconstruir la "totalidad poética" del país; Idea Vilariño consagró un libro de análisis estilístico a *Las letras de tango* (Buenos Aires Schapire, 1966) confiriéndoles la misma jerarquía a sus escritores que a los poetas cultos. Otras revisiones similares en el campo de la dramaturgia están en curso. En general, tanto la teoría de los géneros como la recuperación de literaturas trivales, han sufrido intensas modificaciones.

2. Puede conectarse con la percepción de Michel Foucault en su "Respuesta al Círculo de Epistemología" (v. Eliseo Verón: *Análisis de Michel Foucault,* Buenos Aires, Tiempo Contemporáneo, 1970) donde dice: "En realidad, la desaparición sistemática de las unidades ya dadas, permite ante todo restituir al enunciado su singularidad de acontecimiento: ya no se le considera simplemente como la puesta en juego de una estructura lingüística, ni como la manifestación episódica de una significación más profunda que él; se lo trata en su irrupción histórica; lo que se intenta tener ante la vista es esta incisión que él constituye, esta irreductible —y a menudo minúscula— emergencia".

3. Sobre el punto ha constituido una aportación considerable el libro de Darcy Ribeiro *El dilema de América Latina,* México, Siglo XXI, 1970. Una revisión de las ideas allí expuestas sobre estratificación social y una puesta al día de las estructuras de poder en América latina, en el artículo de Darcy Ribeiro "América Latina, clases y poder" (*Participación,* Lima, Año. II, Nº 2, febrero 1973). Para la revisión histórica del proceso cuentan los libros de Tulio Halperín Donghi, en especial su *Historia contemporánea de América Latina,* Madrid, Alianza Editorial, 1969, y los de Sergio Bagú, *Estructura social de la Colonia* (Buenos Aires, El Ateneo, 1952) y *Evolución histórica de la estratificación social* (Caracas, Instituto de Investigaciones Económicas y Sociales, 1969).

4. Tanto Octavio Paz como Carlos Fuentes se han referido al problema de la apropiación de la lengua extranjera. (V. Carlos Fuentes: *La nueva novela hispanoamericana,* México, Joaquín Mortiz, 1969).

5. Ver los estudios de Tynianov, en el volumen *Théorie de la littérature,* (edit. Tzvetan Todorov), Maris, Du seuil, 1965.
6. Ver *El proceso ideológico* (edit. Eliseo Veron), Buenos Aires, Tiempo Contemporáneo, 1971; *Littérature et ideologies,* Paris, Nouvelle Critique, 1971; Lucio Colletti, *Ideologia e societa,* Bari, Laterza, 1969.
7. Cintio Vitier: "Los Versos sencillos" en *Temas martianos,* La Habana, Biblioteca Nacional José Martí, 1969.
8. En particular su obra capital, *Filosofía de las formas simbólicas.* México, Fondo de Cultura Económica, 1971, pero asimismo en sus estudios parciales, como la *Antropología filosófica* (México, F.C.E.) o *Mito y lenguaje* Buenos Aires, Galatea-Nueva Visión, 1959. También deberíamos considerar los planteos de Claude Lévi-Strauss acerca de la transposición de esquemas psíquicos, como los estudiados en "L'efficacité symbolique" de *Antrhopologie structurale,* Paris, Plon, 1958.
9. Octavio Paz, prólogo a *Poesía en movimiento,* México, Siglo XXI, 1966.
10. *Balance y liquidación del novecientos.* Lima, Universidad Nacional Mayor de San Marcos, 1968. (3ª edición corregida).
11. Existen múltiples estudios sobre la dependencia cultural hispanoamericana y la función del escritor, propios de la sociología del escritor, pero no se cuenta con contribuciones sobre los problemas de la "escritura" en las situaciones de dependencia. En la revista *Casa de las Américas,* Nº 45 y Nº 47, se puede encontrar abundante material. Un buen debate de las diversas tesis en el libro de Alfredo Chacón *Contra la dependencia,* Caracas, Síntesis Dosmil, 1973.

Paul Valéry escribió una vez esta frase de contenido mágico:
"Clásico es el escritor que lleva un crítico dentro de sí, y que lo asocia íntimamente a sus trabajos".[1]

Digo que la frase es mágica, porque encierra la posibilidad de que todo escritor sea, en verdad, dos escritores y que los dos escapen, a veces, y anden por el mundo como ex-siameses. O que el segundo escritor interno sea reconocido por el primero y reciba el total de la obra como una especie de herencia en vida: es el caso de "el otro Borges".[2]

Lo importante, para mí al menos, es reconocer la presencia de un creador dentro de otro, como un hecho irrefutable. Rechazo de inmediato la sugerencia de que sean varios los escritores que viven dentro de un escritor. Esto no sería sino una metáfora, algo así como "los hombres del hombre", de que escribió bella y profundamente Eduardo Barrios. Nos haría pensar en el escritor como en una especie de edificio de departamentos. No niego que un novelista pueda imaginar en algún momento crucial de su vida que se compone de terraza, ascensor, sótano e incinerador, sin olvidar el claro firmamento que lo ilumina en sus horas felices. Pero, insisto, no uso metáforas aquí, me refiero a hechos concretos.

De modo que, cambiando un tanto la frase de Valéry, en un escritor como Racine vivía creadoramente secreto Boileau.

Grandes posibilidades encierra esto, por ejemplo: en Jorge Pitillas y don Hugo Herrera de Jaspedés y en el doctor José Gerardo de Hervás (d. 1742) vivía nada menos que don Ignacio de Luzán (1702-1754). ¡Imaginaos! Cuatro escritores y un solo Dios no más, un solo brillante, frustrado, agudísimo satirista y preceptista que de una *Poética* salta, como un mosquetero, a la diatriba bien llamada *Contra los malos escritores de este siglo* (1742).[3]

Es un caso entre mil. Considerad el incidente portentoso que se produce en 1837 cuando, junto al cadáver de Mariano de Larra, el joven Zorrilla grita unos versos que le harán decir después:

> *Broté como una yerba corrompida*
> *al borde de la tumba de un malvado*
> *y mi primer cantar fue a un suicida.*
> *¡Agüero fue por Dios bien desdichado!*

Es ésta una convincente confesión de parte. Zorrilla, más que sus compañeros de cantares, dramas y leyendas, lleva a Larra muy metido entre pecho y espalda, hasta el punto de que un balazo ¡un solo balazo! deja a uno en la tumba y al otro en la fama.

¿Cómo no mencionar, aunque sea, otros binomios fascinantes que, a dos cabezas, crean una literatura y la creadora crítica de tal literatura? Azorín-Gracián, Alomar-Cervantes, Cervantes-Unamuno, Rodó-Darío. Detengámonos un instante a examinar la verdadera naturaleza de este fenómeno.

En los ensayos de *Poetry and Religion,* Santayana alude a la realidad de una superconciencia que discierne entre lo válido e inválido en el acto de la creación poética, algo así como un dedo que, en los labios del autor, ordena silencio cuando se precipita, desatentado e impudente, un exabrupto anti-poético. No aceptar la inviolabilidad de este proceso de selección estética, sería entregarse a las bajas suertes del caos y la inconsciencia, piensa Santayana. Bajo esta bandera, Juan Ramón Jiménez se decidió a calificar a Neruda de "gran mal poeta". En el fondo, Santayana hablaba de inteligencia y Jiménez de dedos que imponen silencio, y sabido es que no hay suficientes dedos en el mundo que hicieran callar a *Residencia en la tierra.*

Mas, no debemos apresurarnos.

El mecanismo de conciencia a que se refiere Santayana puede ser o el resultado de una programación ideológica, o de una actitud militante, o de la entrega personal, libre y responsable, a un credo al que juramos obediencia.

El creador, sentado frente al mundo que es su

mesa de trabajo, examina, escoge y descarta. En el proceso se somete a las reglas de la aliteración: principios y propósitos, conducta y consecución y consistencia, son vínculos que forman una impecable cadena, al comienzo de la cual hay un concepto y un hombre, y en cuyo fin queda solamente la imagen integrada de ambos, la forma que le dio orden y unidad al caos original. El acto de creación sería un acto supremo de inteligencia; la palabra, instrumento de conocimiento y comunicación, tanto estética como ética.

Ahora bien, en el supuesto de que el proceso descrito por Santayana fuera posible, y el escritor sentado en una nube se desplazara de concepto en concepto, de idea a imagen, de imagen a una realidad y de esta realidad al orden de la belleza, aun así, la creación seguiría siendo lo que Valéry no dijo del todo en su frase mágica: una confluencia de arrebato —movimiento inicial del acto creativo—, revelación, crítica y comunicación.

Me explico.

Crear es una tentación. Caer en la tentación es un acto pasional. El apasionado no escoge, aunque sí descarta en ciertas circunstancias. Comprometido ya en el proceso creativo, las válvulas nos proveen de una seguridad puramente ilusoria. Racine no es un ventrílocuo por cuyo vientre hable Boileau. Racine y Boileau son las dos bocas de una misma voz. Lanzados al arrebato de la creación, vivirán la bella ilusión de un racionalismo que de racional no tiene sino la conciencia de limitada y medida abstracción.

Santayana sabe, tiene que saber, que su planteamiento implica una leve, ligerísima, distorsión del tiempo en el acto de creación, suficientemente grave, sin embargo, para obligarnos a considerarla desde una perspectiva contraria a la suya. El mecanismo de seguridad, de que habla Santayana, es un acto de inteligencia que precede o sigue al de creación. Algo que pudiéramos llamar un auto-cuestionamiento crítico del creador ante la tentación de no mirarse, ni oírse, ni pensarse, en el proceso de dar a luz. El escritor quisiera crear en un estado que excluye artes y ciencias, pero es imposible. Esa cámara sin eco, ese mundo en suspensión, tendrán que adquirir movimiento y sentido en el desenlace crítico que el escritor le da a su personal aventura.

La capacidad crítica, en consecuencia, condiciona y explica a un creador: lo condiciona si da en explicarse a través de prólogos, manifiestos y artes poéticas. Pienso en Darío, Gutiérrez Nájera, Martí, López Velarde, Huidobro, Alfonso Reyes, Borges, Paz; lo explica si se autocuestiona desde adentro de la poesía: el caso de Neruda;[6] o desde adentro de la prosa: ejemplo magno, teoría y destrucción de *Rayuela* por el propio Cortázar.

El sentido crítico intenta identificar e interpretar acto y palabra. Los creadores responden a la medida de su poder de acción. No está de más recordar aquí un hecho curioso: la significación del surrealismo que mantiene mayor vigencia, aún no se relaciona tanto con el desarme de la retórica racionalista, como con la demolición del establecimiento intelectual de la burguesía.

Para Huidobro, dicho sea de paso, crítica es plantear un sistema de imágenes que se superponen a la realidad. Para Neruda, en cambio, crítica será proponer un sistema de vida que se impone a la poesía. Como Borges, Huidobro pudo hablar de "El otro Huidobro" y mantenerse en un seductor plano de imprecisión y misterio. Neruda, si habla de "El otro Neruda", lo hace para proclamar una crisis superada, un paso adelante en el proceso de identificar acción, poesía y revolución.

Se advertirá que he usado una frase de actualidad para describir ese espejo que se mira en otro espejo: auto-cuestionamiento. Parto de la base de que el creador cuestiona su propia obra al adquirir conciencia de las marcas que en ella deja la realidad en que vive y las marcas que él le hace en el proceso de la creación literaria. Así concibo el autocuestionamiento de escritores como Sábato, Cortázar, Paz, Vargas Llosa y, aun, Borges, de quien podría decirse que en su labor crítica no sólo pone un espejo a mirarse en otro espejo, sino también refleja esos reflejos en el espejo interior de su ciega realidad.

Puede decirse que el mejor crítico de Sábato no es otro que Sábato, parcial, contradictorio, totalmente seguro de su inseguridad. El mejor crítico de Cortázar es, por supuesto, Cortázar, negativo, irónico, bien documentado en sus propias dudas. Estos son críticos constructivos, no hombres de pala y pico. Un paréntesis: dudo que Vargas Llosa sea el mejor crítico de Vargas Llosa. Sábato pone una gran lupa sobre su obra y en ella ambiciona proyectar la literatura universal. Cortázar instala un sistema de alarma dentro de su novela y, al hacerlo sonar, pone en peligro toda la narrativa latinomericana.

De Borges sólo sé decir que no siempre es un buen crítico de su obra, ya que, por lo general, se trata a sí mismo antojadizamente. Le gustan sus cuentos que no son buenos, los poemas de los cuales está inseguro. No es que trate de pasarnos gatos por liebres, pues sus liebres son tan buenas como sus gatos; no, más bien es la suya ternura de padre por vástagos no bien comprendidos en el vecindario.

Pero existe otra posibilidad que aún no he mencionado: la del creador que, siendo su propio crítico, propone con empuje y convencimiento la teoría suicida de que en nuestro mundo hispanoamericano no hay críticos. Tengo la impresión de que no lo hace por negarse, puesto que está seguro de la medida exacta de sus alcances y de la existencia real de los críticos a quienes niega, sino para conminarnos a todos a asomar nuestras cabezas, mostrar nuestras armas y contribuir como críticos a la duda, primero, y después a la reconstrucción de valores que entraron en crisis. El mensaje de Octavio Paz en este sentido parece funcionar en un plano que afectó sólo indirectamente a la crítica literaria: todo intelectual debe asumir un rol crítico, una actitud de análisis para afirmarse dentro de estructuras que se desploman y demandan acción, reacción y creación.

Me interesa examinar con mayor detenimiento este punto de enlace entre acto de creación y función crítica.

Rodó se sale un momento desde adentro de Darío para decirle que, americano o no, la suya no es poesía de América. Darío entiende que Rodó no habla de mapas. Sabe, además, que en la Península se le acusa de afrancesado y arguye, con razón, que su poesía ha logrado transformar una experiencia exterior del lenguaje castellano en una trascendente comunión con las esencias del hombre de España y América. Frente a *Cantos de vida y esperanza,* Rodó habrá sentido que en la poesía de Darío ya está re-creado su pensamiento crítico. Darío no cambió sustancialmente su arte poético, varió, sí, su punto de mira y aplicó un sentido crítico a una obra que venía siguiéndole y proyectándose ya hacia formas futuras. Rodó es, entonces, el crítico que se desdobla creadoramente en la poesía de Darío.

Sé que en recientes años se ha hablado con énfasis de "la hora del lector" y, para poner los puntos sobre las íes, del "lector cómplice". Todos recordamos las atractivas variaciones que a este tema le dio Unamuno dirigiéndose al lector de *Niebla,* su modesto ensayo de anti-novela. De lo que no se habla aún es de la hora del crítico, me refiero a la hora de la verdad del supremo cómplice y re-creador, el único que acepta voluntariamente, amorosamente, el oficio de partero, doble, compañero de ruta, válvula de escape, respirador artificial y espíritu santo.

La hora del crítico viene a plantearse como

una tarea definidora, no del todo defensiva, por el contrario, resueltamente aclaratoria. En este reloj donde se marcan las horas del creador, del lector y del editor como empresario de valores de consumo cultural, la hora del crítico da el campanazo de las doce simultáneamente con el de la una, o, como dicen los jugadores de brisca, las diez de última, que marcan el comienzo de un nuevo enfrentamiento.

Pienso que el crítico no puede ser sino un creador que ha descubierto las necesidades de silencio, orden y estructura en el supremo arrebato de la creación. Insisto en que no debemos jugar con metáforas. El momento actual es grave para la crítica, porque está probado que, como se la conoció en los siglos XVIII y XIX, la crítica no puede ya subsistir: creador y crítico no consiguen hacernos creer que viven en simbiosis, tampoco tomamos en serio al crítico que actúa como juez y consagra y condena de acuerdo a dogmas o a inclinaciones personales, menos aún podemos aceptar literalmente el predicado de Válery, por muy seductor que parezca, pues el escritor que se echa adentro la *imagen* de un crítico y consulta mentalmente con él, transformando el acto de creación en diálogo parasicológico, produce ejercicios de composición y espiritismo, rara vez obras de arte. Dicho de otro modo, es el acróbata que jamás se desprende de la red salvadora en un circo donde sólo debiera ser legítimo el verdadero salto mortal.

Si el crítico, pues, no es un puente entre el lector y el escritor, siendo el lector en ésta su hora co-autor de la obra, si el crítico no es un consejero ni un director espiritual puesto que sus predicados cambian *a posteriori* a la obra, y sus admoniciones se refieren a un autor que no existe, el de obras futuras, si el crítico no es tampoco un comisario ¿qué es el crítico, entonces? No veo más respuesta que ésta: lo que le permiten ser su capacidad y su actitud creadoras.

Si me dicen que a Ruiz de Alarcón lo hace funcionar Alfonso Reyes, y que a Góngora, Dámaso Alonso, y que si leemos *Paradiso* es porque Cortázar lo quiere, no se me contradice, se me confirma: creadores son éstos que ejercen la crítica desde adentro del acto de creación. La obra es la realidad que le exige sentido estético al crítico.

El crítico, entonces, como el lector y, en cierto modo, el editor, se enfrenta a una obra abierta y aparentemente inconclusa y siente que debe darle organización y sentido en un esfuerzo por expresarse a sí mismo. Es posible que esa organización y ese sentido estén secretamente esperando al crítico que los descubra. Descubrir, en este caso, es crear. Por lo demás, la condición de inconclusa se da a veces en relación a una posición ideológica, a veces en relación a una necesidad de comunicación y, también, a una íntima demanda de estructura.

Ni el crítico ni el creador aprenden gran cosa uno del otro. Se encuentran en el camino, en la búsqueda de un orden que revela el significado del vasto movimiento de confrontación, destrucción y re-creación que es la literatura cuando afecta fundamentalmente la vida de una sociedad.

No pretendo enseñar aquí ninguna lección, pero me atrevo a afirmar que nunca hice crítica literaria sin el convencimiento de que me expresaba como creador y que mis trabajos representaban períodos *críticos* en mi vida con tanta autenticidad como mis narraciones y poemas. Es éste el sentido que la palabra crítica tiene para mí. Eso fueron el Whitman de mis universidades, el Manuel Rojas de mi regreso a Chile y el Neruda de la barca de la vida.[7]

¿Quiere decir todo esto que, para explicar un poema, el crítico deba escribir otro poema? ¿Que Angel Rama deba escribir una novela para polemizar con Vargas Llosa? Obviamente, no. Mi proposición es clara: el crítico crea poesía si de poesía se ocupa y será mejor crítico si es más poeta (compárense a Dámaso y Amado Alonso en sus estudios sobre Góngora y Neruda, respectivamente). El crítico que entiende y explica el funcionamiento de una novela es porque reconoce los factores esenciales que dan vida a esa novela. Como el poeta, el narrador o el dramaturgo, el crítico *crea* su propio lenguaje y en el uso de este lenguaje no tiene otra misión que la de sus pares: representar la experiencia personal intransferible de su enfrentamiento crítico con la realidad. El lenguaje, testimonio directo de su comunicación con la obra de arte, será siempre la medida del poder creador del crítico.

¿Y los profesores? ¿Dónde quedan los profesores? ¿Y la clasificación de Alfonso Reyes, dónde queda? ¿Qué se hicieron la crítica impresionista, la exegética y la juzgadora? ¿La histórica, la psicológica y estilística? ¿Qué se fizieron? ¿Y la científica que parte de las palabras y llega a la forma interior de la obra? ¿La crítica externa y la crítica interna? ¿Y la sociológica? ¿Y la didáctica? ¿Ya murieron?

No estoy aquí para extender partidas de defunción. Esas críticas tienen su lugar legítimo en el desarrollo profesional de la literatura. Siempre habrá quien desee explicar coherente y metódicamente el misterio de una obra de arte, ya sea para afirmar su propia predisposición al orden y la claridad, o para edificar a los lectores. Nada tengo contra las ciencias normativas en su intento de imponer compostura donde predomina el arrebato. Nada contra la explicación y análisis de los elementos de la retórica tradicional y su valor funcional en la estructura de una obra literaria, ni contra la especulación didáctica sobre la separación de los géneros, si el criterio es histórico y no coercitivo. Todo esto es expresión de solvencia profesional y pedagógica, y tiene su lugar en aulas y, naturalmente, en academias. Lo que afirmo es que, aun aceptando la existencia de estas faenas científicas y la propiedad indisputable de su ejercicio, es preciso reconocer hoy con urgencia la hora del crítico-creador.

Me parece útil mencionar ahora una tercera posibilidad de relación entre creador y crítico: la del cuestionamiento mutuo, vale decir, la especulación sobre la misión de la literatura como resultado de una descarnada polémica. Me refiero al creador que intenta enseñarle al crítico a ser *crítico,* y al crítico que da una lección al creador sobre la índole, el modo y las proyecciones de sus actos de creación.

Un ejemplo interesante en la literatura chilena lo ofrecen Alone y Humberto Díaz Casanueva. La polémica —breve, dura, mortal— está enterrada en *El Mercurio* de Santiago y, como los viejos odios y los viejos amores, esconde bajo las cenizas brasas muy vivas y siempre amenazantes. No tratándose de una polémica suficientemente conocida diré aquí tan sólo que se enfrentan un crítico eminentemente creador, peculiarmente subjetivo, parcialmente erudito, totalmente pagado de sí mismo, y un poeta culto, docto, oscuramente brillante, sí, como el sol de medianoche, dispuesto a dar la vida en defensa de su oscuridad y de su brillo. La polémica termina con un espléndido portazo y una cantidad de dedos apretados en la puerta.

Prefiero no hablar en esta ocasión de las polémicas "Huidobro-Neruda-de Rokha", así como no voy a hablar de la guerra mundial, en cambio sí deseo referirme muy breve pero específicamente a una reciente polémica en la cual se plantean algunas de las premisas que me han servido para tratar de definir la relación creador-crítico. Se trata de los artículos —iba a decir mandobles— intercambiados por Mario Vargas Llosa y Angel Rama en la revista *Marcha* y reproducidos por *Nuevos Aires,* a propósito del libro *García Márquez, historia de un deicidio.*[8]

Considero útil y oportuna esta polémica porque, tangencialmente primero y directamente después, deja en claro dos puntos básicos sobre la naturaleza del trabajo creador y la misión del crítico:

1. La racionalidad del producto literario considerado no sólo en su texto, sino también en sus contextos históricos.

2. El derecho del crítico a rehacer el camino del novelista cuando éste, ofuscado por el *miraglio* del otro creador, socava la base teórica que ha dado sentido a sus novelas.

Vargas Llosa expone con autenticidad y altura de propósitos —sin decir nada del calibre de su artillería pesada— una tesis subjetivista sobre la índole de los poderes que rigen el movimiento creativo de un narrador: estos poderes mágicos y demoníacos actúan en el plano incontrolable de la subconsciencia. Dice Vargas Llosa:

"El novelista no es responsable de sus temas en el sentido en que el hombre no es responsable de sus 'sueños' ".

Y añade:

"Como la primera tesis parte del supuesto que la novela aspira a representar la totalidad humana (rehecha críticamente) supone que sólo una crítica totalizadora —múltiple o, como dice hoy la jerga académica, "interdisciplinaria"— puede describir y juzgar plenamente semejante empresa". (Pág. 50).

Rama no le permite a Vargas Llosa proclamar la independencia demoníaca de los temas y, entre líneas, alude a la base programática, racional, de laboratorio, sobre la cual se mueven novelas como *La casa verde* y *Conversaciones en la catedral*. Dice Rama:

"El (escritor) elabora conscientemente un objeto intelectual —la obra literaria— respondiendo a una demanda de la sociedad o de cualquier sector que esté necesitado no sólo de disidencias, sino de interpretaciones de la realidad que por el uso de imágenes persuasivas permita comprenderla y situarse en su seno válidamente. La obra no es entonces espejo del autor ni de sus demonios, sino mediación entre un escritor mancomunado con su público y una realidad desentrañada libremente, la que sólo puede alcanzar coherencia y significado a través de una organización verbal".[9]

Rama pareciera decirle a Vargas Llosa que no debe creer por fe en la magia de García Márquez.

Tres conclusiones saco de la polémica:

1. Que Vargas Llosa y Rama conciben la obra del creador literario como un supremo y fundamental oficio de crítica.

2. Que la misión del crítico, en ciertas ocasiones, puede ser la de re-establecer y aclarar el sentido en el impreciso proceso creativo de un narrador.

3. Que, recordando una vez más la frase de Valéry ya citada, el crítico que Vargas Llosa lleva dentro de él pudiera no ser Vargas Llosa, sino Angel Rama.

Estos y otros polemistas, creo yo, nos están diciendo que es preciso reconocer en el individuo que se enfrenta creadoramente al mundo, su legítimo intento de ordenación crítica a través de la experiencia estética, su derecho a darle a la realidad el sentido que a él le permite establecer estructuras funcionales en su propia obra. Creador y crítico, entonces, comparten una responsabilidad ante el hombre que les lee: la de vincularse a él en el contexto social que hace de la literatura un arte y no una abstracción retórica.

Hace algunos años un poeta, un gran poeta, dijo refiriéndose a los críticos de su poesía:

> *Entonces,*
> *llegó un crítico mudo*
> *y otro lleno de lenguas,*
> *y otros, otros llegaron*
> *ciegos o llenos de ojos,*
> *elegantes algunos*
> *como claveles con zapatos rojos,*
> *otros estrictamente*
> *vestidos de cadáveres,*
> *algunos partidarios*
> *del rey y su elevada monarquía,*
> *otros se habían enredado en la frente*
> *de Marx y pataleaban en su barba,*
> *otros eran ingleses,*
> *sencillamente ingleses,*
> *y entre todos*
> *se lanzaron*
> *con dientes y cuchillos,*
> *con diccionarios y otras armas negras,*
> *con citas respetables,*
> *se lanzaron*
> *a disputar mi pobre poesía*
> *a las sencillas gentes*

que la amaban:
y la hicieron embudos,
la enrollaron,
la sujetaron con cien alfileres,
la cubrieron con polvo de esqueleto,
la llenaron de tinta,
la escupieron con suave
benignidad de gatos,
la destinaron a envolver relojes,
la protegieron y la condenaron,
le arrimaron petróleo,
le dedicaron húmedos tratados,
la cocieron con leche,
le agregaron pequeñas piedrecitas,
fueron borrándole vocales,
fueron matándole
sílabas y suspiros,
la arrugaron e hicieron
un pequeño paquete
que destinaron cuidadosamente
a sus desvanes, a sus cementerios,
luego
se retiraron uno a uno
enfurecidos hasta la locura
porque no fui bastante
popular para ellos
o impregnados de dulce menosprecio
por mi ordinaria falta de tinieblas,
se retiraron
todos
y entonces,
otra vez,
junto a mi poesía

volvieron a vivir
mujeres y hombres...[10]

En esta *Oda,* Neruda está diciendo que se fueron los malos lectores de su obra y quedaron los verdaderos *críticos,* los seres que en su poesía viven y que a su poesía le dan vida, los creadores.

Fernando Alegría

NOTAS

1. Citado por Ernesto Sábato, *El escritor y sus fantasmas, Obras, Ensayos,* Editorial Losada: Buenos Aires, 1970, p. 130.
2. Cf. "Borges y yo", en *El hacedor.*
3. Cf. Ernest Mérimée y S. Griswold Morley, *A History of Spanish Literature,* Henry Holt and Company: New York, 1931, p. 416.
4. *Recuerdos y fantasías,* en *Obras,* v. 1, París: Garnier Hermanos, s.a. p. 243.
5. *Interpretations of Poetry and Religion,* Charles Scribner's Sons: New York, 1921.
6. Véanse los siguientes poemas de Neruda: "Explico algunas cosas" (*Residencia en la tierra,* II, p. 275); "Los poetas celestes" (*Canto general,* p. 479); "El poeta" (*id.* p. 616); "Oda a la crítica" (*Odas* p. 1.042); "Oda a la crítica, II" (*Segundo libro de odas,* p. 1.235); Oda a la poesía" (*id.,* p. 1.146). Los números de página corresponden a *Obras completas,* v. I, Editorial Losada: Buenos Aires, tercera edición, 1967.
7. Cf. *Walt Whitman en Hispanoamérica,* Studium: México, 1954; *Literatura chilena del siglo XX,* Zig-Zag: Santiago, tercera edición, 1970; "La Barcarola: barca de la vida", *Revista Iberoamericana,* 1973.
8. *Nuevos Aires,* números 8 y 9, agosto, septiembre, octubre 1972, y diciembre, enero, febrero, 1973, Buenos Aires, Argentina.
9. La cita de Vargas Llosa corresponde a "El regreso de Satán", *Nuevos Aires,* N° 9; la de Rama, a "Demonios, vade retro", *Nuevos Aires,* N° 8, p. 21.
10. "Oda a la crítica", *Obras,* p. 1.042.

INDICE

COLECCION LETRA VIVA

TITULOS PUBLICADOS

ESTE LIBRO SE TERMINO DE
IMPRIMIR EL 12 DE FEBRERO DE
1975, EN LITOGRAFIA MELVIN,
CARACAS